O RAPAZ MILIONÁRIO

O RAPAZ MILIONÁRIO

David Walliams

Ilustrado por Tony Ross

Tradução de Rita Amaral

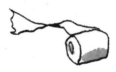

Porto
Editora

O Rapaz Milionário
David Walliams

Publicado em Portugal por:
Porto Editora
Divisão Editorial Literária – Porto
Email: delporto@portoeditora.pt

Publicado originalmente por HarperCollins Publishers com o título *Billionaire Boy*
Texto: © David Walliams 2010
Ilustrações: © Tony Ross 2010
Design do nome do autor: © Quentin Blake 2010

David Walliams e Tony Ross asseguram o direito moral de serem identificados como autor
e ilustrador desta obra, respetivamente.

1.ª edição: fevereiro de 2016
Reimpresso em junho de 2021

Porto Editora

www.portoeditora.pt

Execução gráfica **Bloco Gráfico**
Unidade Industrial da Maia.
DEP. LEGAL 401630/15
ISBN 978-972-0-04790-8

Voor Lara,

Ik hou meer van je, dan ik met woorden kan zeggen

(Para a Lara, Amo-te mais do que as palavras podem dizer.)

Obrigados:

Gostaria de agradecer a algumas pessoas que ajudaram este livro a tornar-se realidade. Eu fiz a maior parte do trabalho pesado, mas preciso de mencionar algumas. Em primeiro lugar, Tony Ross, pelas suas ilustrações. Ele podia tê-las pintado, mas, pelos vistos, é preciso pagar-lhe mais dinheiro por isso. Em segundo lugar, gostaria de agradecer a Ann-Janine Murtagh. Ela é responsável pelos livros infantis da HarperCollins, é muito simpática e dá sempre ótimas sugestões. Tenho de reconhecer: é ela quem manda. Depois há o meu editor, Nick Lake. O trabalho dele é ajudar-me com as personagens e com a história, e eu não conseguiria fazer o livro sem a sua ajuda. Bem, na verdade, até conseguiria, mas ele chorava se eu não lhe agradecesse.

A capa foi desenhada por James Stevens e o interior do livro por Elorine Grant. Poderia dizer que "Elorine" é um nome pateta, mas não o vou dizer, porque isso seria cruel. O responsável pela publicidade é a Sam White. Se me virem num programa da manhã da TV a divulgar agressivamente este livro, a culpa não é minha, é dela. Sarah Benton: muito obrigado por ser uma diretora de marketing absolutamente espetacular, seja lá o que isso for. Kate Manning e Victoria Boodle, as responsáveis de vendas, também fizeram alguma coisa, apesar de eu não saber muito bem o quê. Muito obrigado a Lily Morgan, coordenadora editorial, e a Rosalind Turner, revisora. Se houver erros ortográficos, a culpa é delas. E muito obrigado ao meu agente, Paul Stevens, do Independent, por ficar com 10% (+ IVA) do meu cachê para passar o dia todo no gabinete a beber chá e a comer bolachinhas.

E claro, muito obrigado a *ti* por comprares este livro. Na verdade, não devias perder tempo a ler esta parte. É uma seca. Tens de começar a ler a história. Já foi considerada "uma das melhores histórias alguma vez escritas". Obrigado por isso, Mãe.

1

Este é o Joe Batata

Alguma vez pensaste como seria ter um milhão de euros?

Ou mil milhões?

E que tal um trilião?

Ou até um zilião?

Este é o Joe Batata.

Joe não precisava de imaginar como seria ter montes e montes e montes de dinheiro. Ele tinha apenas 12 anos, mas era mesmo muito rico. Aliás, estupidamente rico.

Joe tinha tudo o que alguém poderia querer.

- Plasmas de 100 polegadas de alta definição em todas as divisões da casa ✔
- 500 pares de sapatilhas Nike ✔
- Uma pista de corridas de Fórmula 1 no jardim ✔
- Um cão robô importado do Japão ✔
- Um carrinho de golf para andar pela propriedade da casa, com a matrícula BATATA2 ✔
- Um escorrega de água que ligava o seu quarto a uma piscina olímpica interior ✔
- Todos os videojogos do mundo ✔
- Um cinema 3D na cave ✔
- Um crocodilo ✔
- Uma sala de *bowling* subterrânea com 10 pistas ✔
- Mesa de bilhar ✔
- Máquina de pipocas ✔

- Parque de *skate* ✔
- Outro crocodilo ✔
- Semanada de 100 mil euros ✔
- Uma montanha-russa no jardim ✔
- Um estúdio de gravações profissional no sótão ✔
- Treino individual de futebol com a seleção inglesa ✔
- Um tubarão verdadeiro num tanque ✔

Resumindo, Joe era um rapaz terrivelmente mimado. Estudava numa escola tão exclusiva que até era ridículo. Voava num avião privado sempre que ia de férias. Houve uma vez que chegaram a fechar a *Disneyworld* por um dia, só para ele não ter de ficar à espera nas filas.

Lá vai o Joe. A acelerar o carro de Fórmula 1 na sua pista privada.

Algumas crianças muito ricas têm versões em miniatura de certos carros construídas especialmente para eles. Joe não era uma dessas crianças. Joe queria que o seu carro de Fórmula 1 fosse ainda *maior*. Ele era bastante gordo, sabes? Na verdade, era de esperar que fosse, não é? Já que podia comprar todo o chocolate do mundo…

Deves ter reparado que o Joe está sozinho nesta imagem. Para dizer a verdade, acelerar numa pista de corridas não é muito divertido quando se está sozinho, mesmo que se tenha um trazilião de euros. É sempre necessário ter alguém contra quem competir. O problema é que o Joe não tinha amigos. Nem um.

• Amigos

Ora bem, conduzir um carro de Fórmula 1 e desembrulhar um chocolate Mars gigante são duas coisas que não se devem fazer ao mesmo tempo. Mas já se tinham passado uns minutos desde a última vez que Joe tinha comido, e ele estava com fome. Ao fazer uma curva em S, rasgou o papel do chocolate

com os dentes e deu uma dentada naquele delicioso caramelo envolvido em chocolate. Infelizmente, Joe só tinha uma mão no volante e, quando as rodas do carro tocaram na berma da pista, perdeu o controlo do veículo. O carro de Fórmula 1, no valor de milhões de euros, saiu da pista, fez uma pirueta e embateu numa árvore.

Não aconteceu nada à árvore. Mas o carro foi para a sucata. Joe espremeu-se para sair do interior do Fórmula 1. Felizmente não estava ferido e ficou apenas um pouco atordoado. O rapaz foi a cambalear de volta a casa.

– Pai, tive um acidente com o carro – informou Joe ao entrar na imensa sala de estar, grande como um palácio.

O Sr. Batata era baixo e gordo, tal como o filho. Era também muito mais peludo em muitos sítios, à exceção da cabeça, que era careca e reluzente. O pai de Joe estava sentado num sofá de 100 lugares, feito de pele de crocodilo, e não tirou os olhos do jornal.

– Não te preocupes, Joe – disse ele. – Eu compro-te outro.

Joe deixou-se cair no sofá ao lado do pai.

– Ah, e já agora, parabéns, Joe.

O Sr. Batata deu um envelope ao filho sem levantar os olhos da página de anúncios para adultos.

Joe abriu o envelope com entusiasmo. Quanto dinheiro iria receber este ano? O cartão, onde se lia "Felizes 12 anos, filho", foi rapidamente posto de lado em detrimento do cheque que estava dentro do envelope.

– Um milhão de euros? – comentou Joe, sem esconder a sua desilusão. – Sóóóóó…?

– O que se passa, filho?

O Sr. Batata pousou o jornal por um momento.

– Deste-me um milhão no ano *passado* – queixou-se Joe.

– Quando fiz 11 anos. Devia receber mais por fazer 12, não?

O Sr. Batata tirou o livro de cheques do bolso do seu fato cinzento brilhante de alta-costura. O fato era horrível e horrivelmente caro.

– Desculpa, filho – disse ele. – Vou dar-te dois milhões.

Bem, é importante saberes que o Sr. Batata nem sempre foi assim tão rico.

A família Batata vivera uma vida muito humilde, e não há muito tempo. O Sr. Batata trabalhava numa fábrica de rolos de papel higiénico, na periferia da cidade, desde os 16 anos. O trabalho do Sr. Batata era *tãããããããoooo* aborrecido. Tinha de enrolar papel higiénico nos tubos de cartão que ficam no meio dos rolos.

Rolo após rolo.

Dia após dia.

Ano após ano.

Década após década.

Fê-lo, uma e outra vez, até quase perder a esperança. Ficava o dia inteiro de pé, em frente à correia transportadora, ao lado de outros trabalhadores entediados, repetindo a mesma tarefa entorpecedora.

De cada vez que o papel acabava de ser enrolado num dos tubos de cartão, o processo começava de novo. E todos os rolos de papel higiénico eram iguais. Por serem tão pobres, o Sr. Batata costumava fazer presentes de aniversário e de Natal para o filho com o cartão dos rolos de papel higiénico. O Sr. Batata nunca tinha dinheiro suficiente para oferecer ao Joe os brinquedos mais modernos, mas construía-lhe um carro de corrida com o rolo de papel higiénico ou um forte de rolos com dezenas de soldados também feitos de rolo. A maior parte destes brinquedos rasgavam-se e iam parar ao caixote do lixo. Joe tinha conseguido salvar uma pequena nave espacial feita de rolos, apesar de não saber bem por que razão a tinha guardado.

A única coisa boa de trabalhar numa fábrica era o facto de o Sr. Batata ter imenso tempo para poder sonhar acordado. Certo dia, ao divagar, teve uma ideia que iria revolucionar para sempre a limpeza de rabiosques.

Porque não inventar um rolo de papel higiénico que fosse húmido num dos lados e seco no outro?, pensou ele, ao enrolar o milésimo rolo daquele dia. O Sr. Batata manteve esta ideia em total segredo, e trabalhou no duro horas e horas, fechado na casa de banho do pequeno apartamento no bairro social onde vivia, até conseguir o rolo de papel higiénico de dupla-face, exatamente como tinha sonhado.

Quando o Sr. Batata lançou finalmente o RabinhoFresco, foi um sucesso imediato. Todos os dias, o Sr. Batata vendia mil milhões de rolos em todo o mundo. E, de cada vez que um rolo era vendido, recebia 10 cêntimos, o que totalizava muito, muito dinheiro, como se pode ver nesta simples equação matemática:

0,10€ × 1 000 000 000 de rolos × 365 dias por ano = um monte de guito.

Joe Batata tinha apenas oito anos quando o Rabinho-Fresco foi lançado, e a vida dele mudou drasticamente de um dia para o outro. Em primeiro lugar, a mãe e o pai de Joe separaram-se. Aparentemente, Carol, a mãe de Joe, andava há vários anos a ter um caso escaldante com Alan, o líder dos escuteiros do filho. Ficou com 10 mil milhões de euros no acordo de divórcio, e Alan trocou a sua canoa por um iate gigante. Da última vez que tiveram notícias deles, estavam a velejar perto da costa do Dubai e a comer Cornflakes crocantes banhados em champanhe de reserva todas as manhãs. O pai de Joe pareceu recuperar rapidamente da separação e começou a namorar com um desfile interminável de raparigas de capa de revistas masculinas.

Pouco tempo depois, pai e filho saíram do minúsculo apartamento onde viviam e mudaram-se para um palacete gigantesco.

O Sr. Batata chamou-lhe Torres do RabinhoFresco.

A casa era tão grande que se podia ver do espaço. Demorava-se cinco minutos só para se percorrer a distância entre o portão e a mansão. O carreiro em gravilha, com um quilómetro de comprimento, estava cercado por centenas de árvores recém-plantadas, ainda pequenas, mas desejosas de crescer. A casa tinha sete cozinhas, 12 salas, 47 quartos e 89 casas de banho.

Cada quarto tinha uma casa de banho privativa e algumas dessas casas de banho privativas tinham, por sua vez, as suas próprias casas de banho privativas.

Apesar de lá morar há já alguns anos, Joe só tinha explorado talvez perto de um quarto (ou seja, 1/4) da casa principal. Nos intermináveis terrenos que pertenciam à casa havia campos de ténis, um lago com barcos a remo, um heliporto e até uma pista de esqui com 100 metros, incluindo montes de neve falsa. As torneiras, os puxadores das portas e até os assentos das sanitas eram de ouro. As carpetes eram feitas de pele de vison, Joe e o pai bebiam groselha em cálices medievais de valor incalculável e, durante uns tempos, tiveram um mordomo chamado Otis, que era também um orangotango. Mas teve de ser despedido.

– Pai, posso ter uma prenda *a sério* para além disto? – perguntou Joe, ao mesmo tempo que guardava o cheque no bolso das calças. – Quero dizer, já tenho montes de dinheiro e já...

– Diz-me o que queres, filho, e peço a um dos meus assistentes para comprar – disse o Sr. Batata. – Uns óculos em ouro maciço? Eu tenho um par. Não se consegue ver nada, mas são muito caros.

Joe bocejou.

– Queres uma lancha? – ofereceu o Sr. Batata.

Joe revirou os olhos.

– Já tenho duas, lembras-te?

– Desculpa, filho. E que tal um quarto de milhão de euros, em cheques-prenda de uma loja à tua escolha?

– Que secaaaaaaaaaaaaa! – Joe bateu com os pés no chão, frustrado. Era um rapaz com problemas de classe alta.

O Sr. Batata estava muito desanimado. Não tinha a certeza se ainda haveria algo que pudesse comprar para dar ao seu único filho.

– Então, filho, o que queres?

De repente, Joe lembrou-se de algo. Imaginou-se a percorrer a pista de carros sozinho, competindo contra si mesmo.

– Bem, há uma coisa que gostava muito de ter... – disse Joe, hesitando.

– O que quiseres, filho – disse o Sr. Batata.

– Um amigo.

2

Rapaz Rabiosque

– Rapaz Rabiosque – disse Joe.

– *Rapaz Rabiosque?* – balbuciou o Sr. Batata. – Que outros nomes é que te chamam na escola, filho?

– O Miúdo do Papel Higiénico...

O Sr. Batata abanou a cabeça, incrédulo. O filho estava inscrito na escola mais cara de Inglaterra.

A Escola St. Cuthbert para rapazes. A propina era de 200 mil euros por período e todos os rapazes eram obrigados a usar meias-calças e golas de folhos isabelinos. Ora vê esta imagem de Joe com o seu uniforme escolar. Fica um pouco pateta, não fica?

Por isso, a última coisa que o Sr. Batata esperava era que o filho fosse gozado. O *bullying* era algo que só acontecia aos pobres. Mas, na verdade, Joe era gozado desde que começara a ir para aquela escola. Os miúdos chiques odiavam-no porque o seu pai tinha dinheiro graças aos rolos de papel higiénico. Diziam que isso era terrivelmente vulgar.

– Rabiosque Milionário, Herdeiro Limpa Rabos, Mestre do Papel de Cocó – continuou Joe. – E isso são só os professores.

A maioria dos rapazes da escola de Joe eram príncipes ou, no mínimo, duques ou condes. As famílias tinham feito fortuna com as inúmeras propriedades herdadas. Isso fazia com que fossem "dinheiro antigo". Joe tinha rapidamente aprendido que só valia a pena ter dinheiro se o dinheiro fosse antigo. Dinheiro novo, feito a vender rolos de papel higiénico, não contava.

Os rapazes elegantes de St. Cuthbert tinham nomes como Nathaniel Septimus Ernest Bertram Lysander Tybalt Zacharias Edmund Alexander Humphrey Percy Quentin Tristan Augustus Bartholomew Tarquin Imogen Sebastian Theodore Clarence Smythe. E isto era apenas de um rapaz.

As disciplinas eram também ridiculamente chiques. Ora espreita o horário de Joe:

Segunda-feira

Latim

Experimentar chapéus de palha

Estudos reais

Etiqueta

Hipismo – saltos

Danças de salão

Sociedade de debates ("Acreditamos que é vulgar apertar o último botão do colete")

Comer *scones*

Apertar laços

Navegação em barcos

Polo (o desporto com cavalos e tacos, não o Norte e o Sul)

Terça-feira

Grego antigo

Croquet

Caça ao faisão

Como insultar os criados

Bandolim – nível 3

História dos tecidos

Hora do nariz empinado

Aprender a passar por cima de um sem-abrigo quando se sai da ópera

Encontrar a saída de um jardim labiríntico

Quarta-feira

Caça à raposa

Arranjos florais

Conversar sobre o tempo

História do críquete

História do sapato Oxford

Trivial Pursuit – Edição Palacetes

Ler a *Harper's Bazaar*

Aula de aprender a apreciar *ballet*

Polir cartolas

Esgrima (com espadas, não com palavras)

Quinta-feira

Hora de aprender a apreciar antiguidades

Aula de mudança de pneus do Range Rover

Discussão sobre quem tem o papá mais rico

Concurso para ver quem é o melhor amigo do príncipe Harry

Aprender a falar à menino chique

Clube de remo

Sociedade de debate ("Acreditamos que os queques são melhores quando torrados")

Xadrez

A história dos brasões

Uma palestra sobre como falar alto em restaurantes

Sexta-feira

Leitura de poesia (Inglês Medieval)

A história do uso de bombazina

Aula de poda de arbustos

Aprender a apreciar esculturas clássicas

Aula de como se identificar nas fotos das festas da revista VIP, secção Realeza

Caça ao pato

Jogar bilhar

Tarde para apreciar música clássica

Aula de escolha de tópicos de discussão para jantares formais (Ex.: como a classe de operários cheira mal)

Contudo, o principal motivo para Joe odiar a St. Cuthbert não eram as disciplinas parvas, mas o facto de todos o olharem de cima. Os colegas de Joe consideravam que alguém cujo pai fazia dinheiro com papel higiénico era demasiado e assustadoramente vulgar.

– Eu quero mudar de escola, pai – pediu Joe.

– Não há problema. Posso mandar-te para qualquer colégio chique no mundo inteiro. Ouvi falar de um na Suíça. De manhã esquia-se e depois...

– Não – disse Joe. – E que tal se eu fosse para a escola pública mais próxima?

– *O quê?* – perguntou o Sr. Batata.

– Talvez lá consiga fazer um amigo – disse Joe, que já tinha visto os miúdos a conviver junto dos portões da escola pública, quando era levado pelo motorista para St. Cuthbert. Pareciam estar todos a divertir-se imenso – a conversar, jogar jogos, trocar cromos. Para Joe, aquilo era espetacularmente *normal*.

– Sim, mas para a escola pública... – disse o Sr. Batata, incrédulo. – Tens a *certeza*?

– Sim – respondeu Joe, desafiante.

– Podia construir-te uma escola nas traseiras dos jardins, se quiseres... – ofereceu o Sr. Batata.

– Não. Quero ir para uma escola normal. Com miúdos normais. Eu quero ter um *amigo*, pai. Não tenho um único amigo em St. Cuthbert.

– Mas tu não podes ir para uma escola normal. Tu és um milionário, rapaz. Todos os miúdos vão gozar contigo ou então só vão querer ser teus amigos porque és rico. Vai ser um pesadelo para ti.

– Bem, então não digo a ninguém quem sou. Vou ser só o Joe. E talvez consiga fazer um amigo, ou até dois...

O Sr. Batata pensou por momentos, e depois cedeu.

– Se é mesmo isso que queres, Joe, então, está bem, podes ir para uma escola normal.

Joe ficou tão excitado que rabissaltou* pelo sofá fora até chegar ao pai para lhe dar um abraço.

– Não me enrugues o fato, rapaz – resmungou o Sr. Batata.

– Desculpa, pai – disse Joe, rabissaltando mais um pouco. Pigarreou e disse: – Hmm... Adoro-te, pai.

– Sim, sim, filho, eu também – disse o Sr. Batata, levantando-se. – Bom, que tenhas um feliz aniversário, companheiro.

– Não vamos fazer qualquer coisa juntos, hoje à noite? – perguntou Joe, tentando esconder a desilusão.

Quando era mais novo, o pai de Joe levava-o sempre à casa de hambúrgueres como prenda de aniversário. Como não tinham dinheiro para os hambúrgueres, pediam só as batatas fritas, e comiam-nas com sandes de fiambre e queijo que o Sr. Batata levava escondidas debaixo do chapéu.

---

* Rabissaltar (verbo) *ra-bis-sal-tar.* O ato de se deslocar enquanto sentado, utilizando apenas o rabo como propulsor, significando, portanto, que não existe a necessidade de a pessoa se levantar. Muito apreciado por pessoas com excesso de peso.

– Não posso, filho, desculpa. Hoje tenho um encontro com esta rapariga linda – disse o Sr. Batata, apontando para uma página da revista masculina que estava a ler.

Joe olhou para a página. Tinha a fotografia de uma mulher cujas roupas pareciam ter-se desintegrado. O cabelo dela estava pintado de louro branco e usava tanta maquilhagem que era difícil perceber se era bonita ou não. Debaixo da imagem, dizia: "Safira, 19 anos, de Bradford. Adora compras, detesta pensar."

– Não achas que a Safira é demasiado nova para ti, pai? – perguntou Joe.

– Só temos 27 anos de diferença – respondeu rapidamente o Sr. Batata.

Joe ficou convencido.

– Bem, onde vais levar esta Safira?

– A uma discoteca.

– Uma *discoteca?* – perguntou Joe.

– Sim – disse o Sr. Batata, num tom ofendido. – Não sou demasiado velho para ir a uma discoteca!

Enquanto falava, abriu uma caixa, tirou de lá o que parecia ser um hámster esmagado por uma marreta e pô-lo na cabeça.

– Que diabo é isso, pai?

– O que é o quê, Joe? – respondeu o pai, com ar de falsa inocência, ajustando aquela coisa felpuda até lhe cobrir completamente a careca.

– Isso na tua cabeça.

– Ahh, isto. É um capachinho, rapaz! Custam só 10 mil euros cada. Comprei um louro, um castanho, um ruivo e um afro, para ocasiões especiais. Faz-me parecer 20 anos mais novo, não achas?

Joe não gostava de mentir. O capachinho não fazia o pai parecer mais novo; em vez disso, o pai parecia um homem a tentar equilibrar um rato morto em cima da cabeça. Sendo assim, optou por dizer um "hmm" que não o comprometia muito.

– Certo. Bem, boa noite, pai – acrescentou Joe, pegando no comando da televisão. Mais uma vez, parecia que ia ser só ele e o ecrã de 100 polegadas.

– Há caviar no frigorífico para o jantar, filho – disse o Sr. Batata, enquanto caminhava para a porta.

– O que é caviar?

– São ovas de peixe, filho.

– Arghh... – Joe nem sequer gostava de ovos normais. Ovas de peixe soava a algo ainda mais nojento.

– Sim, eu experimentei com torradas ao pequeno-almoço. É absolutamente repugnante, mas é muito caro, por isso devíamos começar a comê-lo.

– Não podíamos comer umas salsichas com puré, empadão de carne ou uns cachorros-quentes, pai?

– Hmmm, eu costumava adorar empadão de carne, filho...

O Sr. Batata babou-se um bocado, como se conseguisse sentir o sabor do prato.

– E então…?

O Sr. Batata abanou a cabeça, impaciente.

– Não, não e não. Agora somos ricos, filho! Temos de comer estas coisas caras, como as pessoas chiques. Até logo!

A porta bateu atrás dele e, momentos depois, Joe ouviu o rugido ensurdecedor do Lamborghini verde-lima do pai a acelerar pela noite fora.

Joe ficou desapontado por se ver novamente sozinho, mas não conseguiu conter um pequeno sorriso quando ligou a televisão. Ia voltar a frequentar uma escola normal e ser um rapaz normal.

E *talvez* até conseguisse fazer um amigo.

A questão era, por quanto tempo conseguiria Joe esconder o facto de ser um milionário…?

3

Quem é o mais gordo?

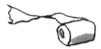

Tinha finalmente chegado o grande dia. Joe tirou o relógio incrustado de diamantes e guardou a caneta em ouro numa gaveta. Olhou para a mochila de alta-costura em pele de cobra que o pai lhe tinha comprado para o primeiro dia de aulas na nova escola e voltou a guardá-la no armário. Até o saco em que a mochila tinha vindo era demasiado chique, mas Joe encontrou um de plástico na cozinha e pôs os livros lá dentro. Estava determinado a não dar nas vistas.

Sentado no banco de trás do Rolls-Royce, conduzido por um motorista, a caminho da St. Cuthbert, Joe tinha passado muitas vezes pela escola pública local e observado as torrentes de crianças que de lá saíam. Era um rio apressado de mochilas a voar, palavrões e gel para o cabelo. Hoje, ele ia entrar por aqueles portões pela primeira vez. Mas não queria chegar de Rolls-Royce – seria uma pista demasiado evidente para os outros miúdos de que ele era rico.

Joe pediu ao motorista para o deixar na paragem de autocarro mais próxima. Já tinham passado alguns anos desde a última vez que andara de transportes públicos e, enquanto esperava pelo autocarro, Joe sentia um arrepio de excitação.

– Não tenho troco para isso! – disse o motorista do autocarro.

Joe não se tinha apercebido de que uma nota de 100 euros não iria ser bem-vinda para pagar um bilhete de dois euros e teve de sair do autocarro. Suspirando, começou a andar os três quilómetros de caminho até à escola, roçando as coxas rechonchudas uma contra a outra a cada passo que dava.

Finalmente, chegou ao portão da escola. Por momentos, deambulou nervosamente pelo lado de fora. Passara tanto tempo a viver uma vida privilegiada. Como iria ele conseguir integrar-se com aqueles miúdos? Joe respirou fundo e atravessou o recreio num passo decidido.

Na chamada, havia apenas outro miúdo sentado sozinho. Joe olhou para ele. Era gordo, tal como Joe, e tinha o cabelo todo encaracolado. Quando viu Joe a olhar na sua direção, sorriu. E, quando a chamada terminou, foi ter com ele.

– Chamo-me Bob – disse o rapaz gordo.

– Olá, Bob – respondeu Joe.

A campainha tinha acabado de tocar e os dois bambolearam pelo corredor fora em direção à primeira aula do dia.

– Eu chamo-me Joe – acrescentou.

Era estranho estar numa escola onde ninguém o conhecia. Um sítio onde ele podia ser só Joe, não o Rapaz Rabiosque, nem o Rabilionário, ou o Miúdo Rabinho Fresco.

– Estou muito feliz por cá estares, Joe. Na nossa turma, quero eu dizer – acrescentou Bob.

– Porquê? – perguntou Joe. Estava excitado, parecia que tinha encontrado o primeiro amigo!

– Porque já não sou o rapaz mais gordo da escola – disse Bob, cheio de confiança, como se estivesse a fazer uma afirmação cientificamente comprovada.

Joe fez uma expressão carrancuda, parou por um momento

e estudou Bob. Parecia-lhe que tanto ele como o outro rapaz tinham mais ou menos o mesmo nível de gordura.

– Quanto é que pesas, então? – exigiu saber Joe, irritado.

– Ora bem, quanto é que tu pesas? – desafiou Bob.

– Bem, eu perguntei primeiro.

Bob parou um momento.

– Para aí uns 50 kg.

– Eu peso 45 kg – disse Joe, mentindo.

– Nem pensar que tens 45 kg! – resmungou Bob, zangado.

– Eu peso 76 kg e tu és bem mais pesado do que eu!

– Acabaste de dizer que pesavas 50 kg! – disse Joe, num tom acusatório.

– Eu *pesava* 50 kg... – respondeu Bob – quando era bebé.

Naquela tarde havia a corrida de corta-mato, uma experiência penosa em qualquer dia de escola, mas especialmente no primeiro dia. Era uma tortura anual que parecia ter sido pensada unicamente para humilhar os miúdos que não eram atletas. Uma categoria na qual Bob e Joe facilmente se poderiam enquadrar.

– Onde está o teu equipamento, Bob? – gritou o professor Negras, o sádico professor de Educação Física, enquanto Bob se dirigia para o campo de jogos. Bob vestia umas cuecas brancas e uma camisola interior, e o seu visual fez irromper uma onda de risos por parte dos outros miúdos.

– A-a-a-alguém d-d-deve tê-lo escondido, s-s-s-stôr – respondeu Bob, tremendo.

– Acho improvável! – resmungou o professor Negras. Tal como a maioria dos professores de Educação Física, era difícil imaginá-lo a vestir outra coisa que não um fato de treino.

– A-a-a-ainda tenho de correr no c-c-c-corta-mato, s-s-s--stôr...? – perguntou Bob, esperançoso.

– Ah, claro que sim, rapaz! Não te safas assim tão facilmente. Vamos lá, gente! Partida, largada… esperem… CORRIDA!

A princípio, Joe e Bob começaram a correr tal como os outros miúdos, mas, depois de aproximadamente três segundos, estavam sem ar e já só conseguiam caminhar. Pouco depois, toda a gente desaparecera no horizonte e os dois rapazes gordos tinham ficado sozinhos.

– Fico em último lugar todos os anos – disse Bob, abrindo um Snickers e dando-lhe uma grande dentada. – Todos os outros miúdos riem-se de mim. Eles vão tomar banho, vestem-se e ficam à minha espera na meta. Podiam ir para casa, mas ficam à minha espera só para poderem fazer pouco de mim.

Joe franziu o sobrolho. Aquilo não parecia ser muito divertido. Decidiu que não queria ficar em último lugar e começou a apressar um pouco a passada, para ter a certeza de que estava pelo menos meio passo à frente de Bob.

Bob lançou-lhe um olhar fulminante e acelerou, atingindo pelo menos o meio quilómetro por hora. Pela expressão determinada do seu rosto, Joe percebeu esta era uma oportunidade única para Bob não chegar em último lugar.

Joe acelerou um pouco mais. Agora seguiam quase a trote. A corrida tinha começado. E o grande prémio iria para: quem chegasse em... penúltimo lugar!

Joe não queria mesmo ser derrotado na corrida de corta--mato por um rapaz em cuecas e camisola interior no seu primeiro dia de aulas.

Após o que pareceu ser uma eternidade, a meta começou a desenhar-se no horizonte. Os dois rapazes estavam sem ar, com todo aquele poderoso bambolear.

De repente, uma catástrofe abateu-se sobre Joe. Sentiu uma pontada dolorosa num dos lados do corpo.

– Aaiiii! – gritou Joe.

– O que se passa? – perguntou Bob, agora com alguns centímetros de avanço.

– Senti uma pontada... Tenho de parar. Aiiii...

– Estás a fingir. No ano passado, uma rapariga de 95 quilos contou-me essa e acabou por me ganhar por uma fração de segundo.

– Aiiii. É verdade – disse Joe, agarrando com força o lado do corpo.

– Não caio nessa, Joe. Vais ficar em último lugar e este ano todos os miúdos vão rir-se de ti! – disse Bob, triunfante, avançado ainda mais.

A última coisa que Joe queria era que se rissem dele no primeiro dia de aulas. Já estava farto de que se rissem dele quando estava em St. Cuthbert. Contudo, a cada passo que dava a pontada ficava cada vez mais forte. Era como se tivesse um buraco a abrir e a queimá-lo por dentro.

– E que tal eu dar-te uma nota de cinco euros para ficares em último lugar? – perguntou ele.

– Nem pensar – respondeu Bob, com a respiração entrecortada.

– Uma de 10?

– Não.

– 20 euros?

– Esforça-te mais.

– 50 euros.

Bob parou e olhou para Joe.

– 50 euros… – disse ele. – Isso dá para muito chocolate.

– Pois dá – aliciou Joe. – Montes.

– Negócio fechado. Mas eu quero o guito agora.

Joe procurou nos calções e tirou uma nota de 50 euros.

– O que é isso? – perguntou Bob.

– É uma nota de 50 euros.

– Nunca vi uma. Onde é que a arranjaste?

– Ah, hmm... Sabes, fiz anos na semana passada... – disse Joe, tropeçando um pouco nas palavras. – E o meu pai deu-me de presente.

O rapaz mais gordo estudou a nota por momentos, levando-a à luz, como se fosse um artefacto de valor incalculável.

– Uau! O teu pai deve estar cheio de pasta – disse ele.

A verdade teria dado a volta à cabeça gorda de Bob: que o Sr. Batata tinha oferecido ao filho dois milhões de euros de presente de aniversário. Por isso, Joe manteve o bico calado.

– Nã, nem por isso – disse.

– Vai lá, então – disse Bob. – Eu chego em último lugar. Por 50 euros até chegava amanhã, se quisesses.

– Só uns passos atrás de mim, está bem? – propôs Joe. – Assim parece verdade.

Joe avançou à frente, ainda agarrado à dor que sentia no

lado. Centenas de caras, sorrindo cruelmente, começavam agora a aparecer. O aluno novo passou a meta, ouvindo-se apenas um sussurro de risos de gozo. Bob vinha a reboque, agarrando a nota de 50 euros, já que as suas cuecas brancas não tinham bolsos. Enquanto se aproximava da meta, os miúdos começaram a cantar.

– BANHAS! BANHAS! BANHAS! BANHAS!
BANHAS! BANHAS! BANHAS! BANHAS!
BANHAS! BANHAS! BANHAS! BANHAS!
BANHAS! BANHAS! BANHAS! BANHAS!
BANHAS! BANHAS! BANHAS! BANHAS!
BANHAS! BANHAS! BANHAS! BANHAS!
BANHAS! BANHAS! BANHAS! BANHAS!
BANHAS! BANHAS! BANHAS! BANHAS!
BANHAS! BANHAS! BANHAS! BANHAS!

Os cânticos ficavam cada vez mais altos.

– BANHAS! BANHAS! BANHAS!
BANHAS! BANHAS! BANHAS!
BANHAS! BANHAS! BANHAS!
BANHAS! BANHAS! BANHAS!

BANHAS! BANHAS! BANHAS!
BANHAS! BANHAS! BANHAS!
BANHAS! BANHAS! BANHAS!
BANHAS! BANHAS! BANHAS!
BANHAS! BANHAS! BANHAS!
BANHAS! BANHAS! BANHAS!
BANHAS! BANHAS! BANHAS!
BANHAS! BANHAS! BANHAS!
BANHAS! BANHAS! BANHAS!
BANHAS! BANHAS! BANHAS!
BANHAS! BANHAS! BANHAS!
BANHAS! BANHAS! BANHAS!
BANHAS! BANHAS! BANHAS!
BANHAS! BANHAS! BANHAS!
BANHAS! BANHAS! BANHAS!

Agora começavam a bater palmas ritmicamente.

– BANHAS! BANHAS! BANHAS!
BANHAS! BANHAS! BANHAS! BANHAS!
BANHAS! BANHAS! BANHAS! BANHAS!

BANHAS! BANHAS! BANHAS! BANHAS!
BANHAS! BANHAS! BANHAS! BANHAS!
BANHAS! BANHAS! BANHAS! BANHAS!
BANHAS! BANHAS! BANHAS! BANHAS!
BANHAS! BANHAS! BANHAS! BANHAS!
BANHAS! BANHAS! BANHAS! BANHAS!
BANHAS! BANHAS! BANHAS! BANHAS!
BANHAS! BANHAS! BANHAS! BANHAS!
BANHAS! BANHAS! BANHAS! BANHAS!
BANHAS! BANHAS! BANHAS! BANHAS!
BANHAS! BANHAS! BANHAS! BANHAS!
BANHAS!

Sem se deixar desencorajar, Bob lançou o corpo pela meta.

– **AH! AH! AH! AH!** AH!
AH! AH! AH! AH! AH! AH!
AH! AH! AH! AH! AH! AH!
AH! AH! AH! AH! AH! AH! AH!
AH! AH! AH! AH! AH! AH! AH!
AH! AH! AH! AH! AH! AH! AH!
AH! AH! AH! AH! AH! AH! AH!

AH! AH! AH! AH! AH! AH!
AH! AH! AH! AH! AH! AH!
AH! AH! AH! AH! AH! AH!
AH! AH! AH! AH! AH! AH! AH!
AH! AH! AH! AH! AH! AH! AH! AH!
AH! AH! AH! AH! AH! AH! AH!
AH! AH! AH! AH! AH! AH! AH!
AH! AH!

Os outros miúdos atiraram-se para o chão a rir, apontando para Bob, enquanto ele se dobrava e tentava recuperar o fôlego.

Ao virar-se para trás, Joe sentiu um súbito pingo de culpa. À medida que os outros miúdos dispersavam, dirigiu-se a Bob e ajudou-o a levantar-se.

– Obrigado – disse Joe.

– De nada – respondeu Bob. – Para ser sincero, devia tê-lo feito logo. Se chegasses em último lugar no teu primeiro dia,

nunca mais ouvias falar de outra coisa. Mas no próximo ano estás por tua conta. Não quero saber se me dás um milhão de euros: não volto a ficar em último lugar!

Joe pensou no seu cheque de aniversário de dois milhões de euros.

– E que tal dois milhões de euros? – brincou ele.

– Negócio fechado! – disse Bob, a rir-se. – Imagina se tivesses mesmo esse dinheiro todo. Seria de loucos! Podias ter tudo o que alguma vez quisesses!

Joe forçou um sorriso.

– Sim – disse ele. – Talvez...

4

Rolos de papel higiénico?

– Mas então, esqueceste-te do equipamento de propósito? – perguntou Joe.

O professor Negras tinha já fechado os balneários no momento em que Joe e Bob acabavam a corrida de corta-mato… Quer dizer, o passeio de corta-mato. Estavam agora do lado de fora do edifício de betão cinzento, e Bob tremia por estar só de cuecas. Tinham ido à secretaria da escola, mas não havia absolutamente ninguém em lado algum. Bem, ninguém, à exceção do porteiro. Que parecia não saber falar inglês. Nem qualquer outra língua.

– Não – respondeu Bob, um pouco magoado com a sugestão. – Posso não ser o corredor mais rápido, mas não sou assim tão cobarde.

Os rapazes arrastaram-se pelo recreio fora, Joe de camisa cavada e calções, e Bob de camisola interior e cuecas. Pareciam os elementos rejeitados de uma seleção para um concurso de beleza.

– Então, quem é que o levou?

– Nã sei. Devem ter sido os Grunhos. São os fanfarrões da escola.

– Os Grunhos?

– Sim. São gémeos.

– Ah – disse Joe. – Ainda não os conheci.

– Mas vais conhecê-los – respondeu Bob, com ar pesaroso.

– Sabes, sinto-me mal por ter ficado com o dinheiro da tua prenda de anos...

– Não tens de te sentir mal – disse Joe. – Não há problema.

– Mas 50 euros é muito dinheiro – protestou Bob.

50 euros não era muito dinheiro para a família Batata. Aqui estão algumas coisas que Joe e o pai fariam com notas de 50 euros:

- Acender o churrasco com notas em vez de usar bocados de jornal velho

- Ter um bloco delas ao lado de telefone e anotar recados

- Forrar a gaiola do hámster com molhos de notas e deitá--las fora ao fim de uma semana, quando começassem a cheirar a xixi de hámster

- Deixar o (mesmo) hámster usar uma nota como toalha depois de tomar banho

- Usá-las como filtros de café

- Fazer chapéus de papel com elas para usar no dia de Natal

- Assoar o nariz com as notas

- Cuspir uma pastilha elástica para dentro de uma nota, amarrotá-la e pô-la na mão do mordomo que, por sua vez, a colocaria na mão do empregado que, por sua vez, a haveria de pôr na mão da criada que, por sua vez, a lançaria no balde do lixo

• Fazer aviões de papel com as notas e atirá-los um ao outro

• Forrar as paredes da casa de banho de serviço com notas

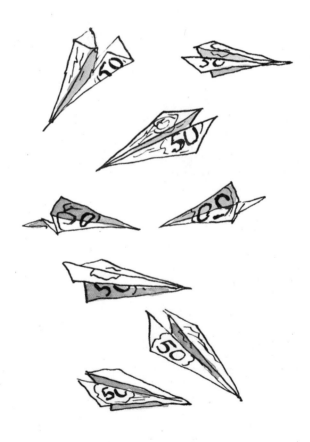

– Não te cheguei a perguntar – disse Bob. – O que é que o teu pai faz?

Por momentos, Joe entrou em pânico.

– Hmm... hmm... Ele faz rolos de papel higiénico – disse, mentindo apenas um pouco.

– Rolos de papel higiénico? – perguntou Bob. Não conseguiu esconder um sorriso.

– Sim – respondeu Joe, num tom desafiante. – Ele faz rolos de papel higiénico.

Bob parou de sorrir.

– Não se deve ganhar muito bem a fazer isso.

Joe contraiu-se.

– Hmm... Pois não.

– Então, acho que o teu pai deve ter poupado durante semanas para te dar os 50 euros. Toma. – Bob devolveu a nota de 50 euros, já um pouco amarrotada, a Joe.

– Não. Fica com ela – protestou Joe.

Bob apertou a nota na mão de Joe.

– É a tua prenda de anos. Fica tu com ela.

Joe sorriu, indeciso, e guardou o dinheiro.

– Obrigado, Bob. Mas, então, o que faz o *teu* pai?

– O meu pai morreu no ano passado.

Ambos continuaram a andar em silêncio por momentos. Tudo o que Joe conseguia ouvir era o som do seu coração a bater. Não lhe ocorria algo que pudesse dizer. Só sabia que se sentia muito mal pelo novo amigo. Então lembrou-se de que, quando alguém morria, por vezes as pessoas diziam: "lamento muito".

– Lamento muito – disse ele.

– A culpa não é tua – respondeu Bob.

– Quero dizer, lamento muito que ele tenha morrido.

– Eu também.

– Como é que ele... tu sabes?

– Cancro. Foi mesmo assustador. Foi ficando cada vez mais doente e um dia tiraram-me da escola e levaram-me ao hospital. Ficámos ao lado da cama dele durante imenso tempo e conseguia ouvir a respiração dele a tremer e, de repente, o som parou. Eu corri para chamar a enfermeira, ela foi lá e disse que ele tinha "partido". Agora, sou só eu e a minha mãe.

– O que é que a tua mãe faz?

– Trabalha num supermercado. Nas caixas. Foi aí que conheceu o meu pai. Ele ia às compras aos sábados de manhã. Costumava dizer a brincar: "fui lá para comprar um litro de leite e vim embora com uma noiva!"

– O teu pai devia ter piada – disse Joe.

– E tinha – respondeu Bob, sorrindo. – A minha mãe agora tem mais um emprego. Faz limpezas num lar de idosos ao final da tarde. Diz que é para conseguir segurar o barco.

– Uau – exclamou Joe. – E não fica cansada?

– Fica – disse Bob. – Por isso sou eu que arrumo a casa e isso.

Joe sentiu realmente pena de Bob. Desde os oito anos, Joe nunca tivera de fazer nada em casa – havia sempre o mordomo, ou a criada, ou o jardineiro, ou o motorista, ou alguém que fazia tudo. Tirou a nota do bolso. Se havia alguém que precisava mais do dinheiro do que ele, era Bob.

– Por favor, Bob, fica com os 50 euros.

– Não. Não quero. Ia ficar a sentir-me mal.

– Então, pelo menos, deixa-me comprar-te uns chocolates.

– Combinado – disse Bob. – Vamos à loja do Raj.

5

Ovos da Páscoa fora do prazo

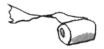

PLIM!

Não, leitor, não é a tua campainha a tocar. Não vale a pena levantares-te. É o som da campainha da loja de Raj a tocar, enquanto Bob e Joe abrem a porta.

– Ah, Bob! O meu cliente preferido! – disse Raj. – Bem--vindo! Bem-vindo!

Raj era dono da loja de conveniência local. Todos os miúdos das redondezas o adoravam. Ele era como o tio engraçado que sempre quiseste ter. E, ainda melhor do que isso, vendia doces.

– Olá, Raj! – disse Bob. – Este é o Joe.

– Olá, Joe – exclamou Raj. – Dois rapazes gordinhos na minha loja e ao mesmo tempo. Deus deve estar a olhar por mim, hoje! Porque é que estão quase despidos?

– Viemos diretos da corrida de corta-mato, Raj – explicou Bob.

– Fantástico! Que tal se saíram?

– Primeiro e segundo... – respondeu Bob.

– Isso é fantástico! – exclamou Raj.

– ... a contar do fim – acabou Bob.

– Então, não é assim tão bom. Mas imagino que estejam cheios de fome depois de todo o exercício. Como posso ajudar?

– Gostávamos de comprar chocolates – disse Joe.

– Bem, vieram ao sítio certo. Tenho a melhor seleção de chocolates das redondezas! – anunciou Raj, num tom triunfante.

Tendo em conta que as únicas lojas das redondezas eram uma lavandaria e uma florista, que já tinha fechado há muito tempo, aquele não era decerto o melhor dos critérios, mas os rapazes não disseram nada.

Bem, uma coisa de que Joe tinha a certeza era de que o chocolate não precisava de ser caro para saber bem. Na verdade, depois de alguns anos a deleitarem-se com os melhores chocolates da Bélgica ou da Suíça, tanto ele como o pai tinham chegado à conclusão de que não eram tão saborosos como um Twix. Ou um pacote de Maltesers.

Ou, para o verdadeiro apreciador, um Kit Kat.

– Bem, digam-me se precisarem de alguma coisa, meus caros amigos – disse o lojista. As coisas na loja de Raj estavam dispostas aleatoriamente. Porque é que as revistas estavam ao lado dos corretores? Se não se conseguisse encontrar as gomas em forma de ursinhos, era perfeitamente possível que elas estivessem debaixo de uma cópia de um jornal de 1982. E era mesmo preciso os *post-its* estarem no congelador?

Contudo, as pessoas do bairro continuavam a ir à loja porque adoravam Raj e ele também adorava os clientes, especialmente Bob. Bob era um dos melhores clientes.

– Estamos só a ver, obrigado – respondeu Bob. O rapaz estava a estudar as filas e filas de doces, à procura de algo especial. E hoje o dinheiro não era um problema. Joe tinha uma nota de 50 euros no bolso. Até podiam comprar um dos ovos da Páscoa fora do prazo de Raj.

– Os Mars estão muito bons, caros jovens. Chegaram hoje, fresquinhos – ofereceu Raj.

– Estamos só a ver, obrigado – respondeu Bob, educadamente.

– Os ovos Kinder são da época – sugeriu o lojista.

– Obrigado – disse Joe, com educação, sorrindo.

– Só para saberem, caros senhores, estou aqui para vos ajudar – declarou Raj. – Se tiverem alguma questão, não hesitem em perguntar-me.

– Assim faremos – respondeu Joe.

Por momentos, fez-se silêncio.

– Só vos queria dizer que o Lion não está muito bom hoje, meus caros – continuou Raj. – Devia ter-vos dito. Foi um problema com a distribuição, mas amanhã já devo voltar a tê-los, e vão estar em saldo.

– Obrigado por nos avisar – disse Bob. Joe e Bob olharam um para o outro. Começavam a desejar que o lojista os deixasse escolher em paz.

– Posso recomendar um Buonty. Comi um há pouco e posso afirmar que nesta altura estão divinais.

Joe acenou educadamente.

– Eu deixo-vos decidir sozinhos. Como disse, estou aqui para ajudar.

– Posso levar um destes? – perguntou Bob, pegando numa tablete gigante de chocolate Nestlé e mostrando-a a Joe.

Joe riu-se.

– Claro que podes!

– Uma ótima escolha, cavalheiros. Hoje tenho uma oferta especial nesses. Compram 10 e levam um grátis.

– Acho que por agora só precisamos de um, Raj – disse Bob.

– Pagam cinco, levam meio grátis?

– Não, obrigado – disse Joe. – Quanto é?

– Três euros e vinte, por favor.

Joe entregou a nota de 50 euros.

Raj olhou para ela, espantado.

– Meu Deus! Nunca vi uma destas antes. Deves ser um rapazinho muito rico!

– Nem por isso – disse Joe.

– O pai deu-lha de prenda de anos – acrescentou Bob.

– Que rapaz sortudo – disse Raj, olhando fixamente para Joe. – Pareces-me familiar, sabes?

– Pareço? – disse Joe, nervoso.

– Sim, tenho a certeza de que já te vi em qualquer lado. – Raj bateu com o dedo no queixo, meditando.

Bob olhou-o fixamente, estupefacto.

– Sim – disse Raj, eventualmente. – No outro dia vi uma fotografia tua numa revista.

– Duvido muito, Raj – troçou Bob. – O pai dele faz rolos de papel higiénico.

– É isso! – exclamou Raj. Começou a procurar numa pilha de jornais antigos e tirou a Lista dos Mais Ricos do *Diário de Notícias*.

Joe começou a entrar em pânico.

– Tenho de me ir embora…

O lojista folheou as páginas do jornal.

– Aqui estás! – Raj indicou uma fotografia onde se via Joe sentado de forma desajeitada no capô do seu carro de Fórmula 1, e depois leu: – As crianças mais ricas de Inglaterra. Primeiro lugar: Joe Batata, 12 anos. Herdeiro RabinhoFresco. Valor estimado, 10 mil milhões.

Um grande pedaço de chocolate caiu da boca de Bob para o chão.

– 10 *mil milhões?*

– Nem pensar que tenho 10 mil milhões – protestou Joe.

– A imprensa exagera sempre. Tenho oito mil milhões, no máximo. E só vou receber a maior parte quando for mais velho.

– Mesmo assim, é muito dinheiro! – exclamou Bob.

– Sim, suponho que é.

– Porque é que não me disseste? Pensava que éramos amigos.

– Desculpa – balbuciou Joe. – Só queria ser normal. E além disso, é embaraçoso ser o filho do milionário dos rolos de papel higiénico.

– Não, não e não! Deves ter orgulho do teu pai! – exclamou Raj. – A história dele é uma inspiração para todos nós. Um homem humilde que se tornou milionário com uma ideia simples!

Joe nunca tinha pensado no pai daquela maneira.

– Leonard Batata revolucionou para sempre a forma como limpamos os rabiosques! – riu-se Raj.

– Obrigado, Raj.

– Bem, por favor, diz ao teu pai que uso o RabinhoFresco há pouco tempo e que adoro! O meu rabinho nunca brilhou tanto! Até à próxima!

Os dois rapazes caminharam rua fora, em silêncio. Tudo o que se ouvia era Bob a chupar o chocolate pelo meio dos dentes.

– Mentiste-me – acusou ele.

– Bem, eu disse-te que o meu pai trabalhava com rolos de papel higiénico – disse Joe, desconfortável.

– Sim, mas…

– Eu sei. Desculpa. – Era o primeiro dia de Joe na escola e o seu segredo já se sabia. – Toma, fica com o troco – disse Joe, tirando as duas notas de 20 euros do bolso.

Bob pareceu destroçado.

– Não quero o teu dinheiro.

– Mas eu sou milionário – disse Joe. – E o meu pai tem ziliões. Eu nem sequer sei o que isso quer dizer, mas sei que é muito. Fica com elas. Toma, fica também com estas. – Tirou um rolo de notas de 50 euros.

– Não quero – disse Bob.

A cara de Joe enrugou-se de incredulidade.

– Porque não?

– Porque não quero saber do teu dinheiro. Apenas gostei de estar contigo hoje.

Joe sorriu.

– E eu gostei de estar contigo – respondeu, tossindo.

– Olha, desculpa, a sério. É que... os miúdos da minha antiga escola costumavam gozar comigo por eu ser o rapaz Rabinho-Fresco. Eu só queria ser um miúdo normal.

– Eu consigo perceber isso – disse Bob. – Quero dizer, era bom se pudéssemos começar de novo.

– Sim – respondeu Joe.

Bob parou e estendeu a mão.

– Eu sou o Bob – disse ele.

Joe apertou-lhe a mão.

– Joe Batata.

– Não há mais segredos?

– Não – garantiu Joe, sorrindo. – É só isso.

– Ainda bem – disse Bob, também a sorrir.

– Não vais contar a ninguém lá na escola, pois não? – perguntou Joe. – Sobre o facto de eu ser milionário. Tenho tanta vergonha. Especialmente quando descobrirem a forma como o meu pai enriqueceu. Por favor?

– Se não queres que conte, não conto.

– Não quero. Não quero mesmo.

– Então, não conto.

– Obrigado.

Os dois continuaram pela rua fora. Depois de alguns passos, Joe já não conseguia aguentar mais. Virou-se para Bob, que já tinha devorado metade da gigantesca tablete de chocolate, e perguntou-lhe:

– Posso comer um bocadinho de chocolate, então?

– Claro que podes. Isto é para partilharmos – respondeu Bob, partindo um quadradinho de chocolate para o seu novo amigo.

6

Os Grunhos

– EI! BANHAS! – ouviu-se um grito por detrás deles.

– Continua a andar – disse Bob.

Joe virou-se e viu um casal de gémeos. Eram assustadores, pareciam gorilas em fatos de humanos. Estes deviam ser os temíveis Grunhos de que Bob tinha falado.

– Não olhes para trás – insistiu Bob. – Estou a falar a sério. Continua a andar.

Joe começava a desejar estar na luxuosa segurança dos bancos de trás do seu Rolls-Royce, conduzido por um motorista, em vez de seguir a pé para a paragem de autocarro.

– BANHAS!

À medida que Joe e Bob se moviam mais rapidamente, conseguiam ouvir passos atrás deles. Apesar de ainda ser cedo, o céu de inverno escurecia. As lâmpadas da rua tremeluziam e manchas de luz amarela transbordavam para o chão molhado.

– Rápido, vamos correr para ali – disse Bob.

Os rapazes correram por uma viela abaixo e esconderam-se atrás de um contentor verde que estava nas traseiras de um restaurante italiano.

– Acho que os despistámos – sussurrou Bob.

– Aqueles eram os Grunhos? – perguntou Joe.

– Chiu. Fala baixo!

– Desculpa – murmurou Joe.

– Sim, são os Grunhos.

– Os que te gozam?

– Esses mesmo. São irmãos gémeos. O Dave e a Sue Grunho.

– A *Sue*? Um deles é uma rapariga? – Joe podia jurar que quando se virara e vira os gémeos atrás deles, ambos tinham pelos faciais grossos.

– Sim, a Sue é uma rapariga – disse Bob, como se Joe fosse um bocado parvo.

– Então não podem ser gémeos verdadeiros – sussurrou Joe. – Quero dizer, não podem, se um for rapaz e o outro uma rapariga.

– Bem, sim, mas ninguém os consegue distinguir.

De repente, Joe e Bob ouviram passos a aproximar-se.

– Consigo sentir o cheiro a rapazes gordos! – disse uma voz do outro lado do contentor. Os Grunhos afastaram o contentor e encontraram os rapazes agachados atrás dele. Joe olhou

diretamente para os Grunhos pela primeira vez. Bob tinha razão. Eram exatamente iguais. Ambos tinham cortes de cabelo à escovinha, dedos peludos e bigode – o que era realmente uma pena para ambos.

Vamos jogar ao "Descobre as diferenças" com os Grunhos. Consegues encontrar as dez diferenças entre os dois? Não, não consegues. São exatamente iguais.

Uma brisa de vento frio soprou pela viela. Uma lata vazia saltitou pelo chão. Algo tremeu nos arbustos.

– Como correu a corrida de corta-mato sem equipamento, Banhas? – riu-se um dos Grunhos.

– Eu sabia que tinham sido vocês! – respondeu Bob, zangado. – O que fizeram com a minha roupa?

– Está no rio! – riu-se o outro gémeo.

– Agora dá-nos o teu chocolate.

Nem as vozes deles davam qualquer pista para se saber quem era Dave e quem era Sue, porque as duas vozes oscilavam na mesma frase entre tons altos e baixos.

– Quero levar o chocolate para casa para dar à minha mãe – protestou Bob.

– Quero lá saber – disse o outro Grunho.

– Dá-nos isso, seu ****** – disse o outro.

Tenho de confessar, leitor, que a parte do ****** era um palavrão. Outros palavrões incluem ****, ****** e, é claro, a incrivelmente mal-educada ****** ** *******. Se não sabes palavrões, é melhor perguntares a um pai, a um professor ou qualquer outro adulto responsável que te faça uma lista.

Por exemplo, aqui estão algumas palavras mal-educadas que conheço:

Mule

Patatão

Vomítico

Frato

Né-zinguém

Sanhas

Pacaco

Memedolas

Cicho-esterpo

Pruto

Nerruga

Chilili

Sato

Feidolas

Cé-cé

Pone

Lareta

Cheles

Malhaço

Bresta

Fófó

Sétupido

Marvo

Valaco

Amécula

Soi

Dabalhoca

Zaca

Pesta

Mastardo

Albardão

Zoleiro

Baro

Fandalho

Tapasdurfio

Zronco

Casganifobético

Ostralon

Taluco

Barreco

Grombudo

Malonça

Jambisgóia

Todas estas palavras são tão mal-educadas que eu não so-
nharia em pô-las neste livro.

– Não te metas com ele! – disse Joe. E imediatamente

arrependeu-se de ter chamado a atenção para si próprio, porque os Grunhos começavam agora a aproximar-se dele.

– Ou fazes o quê? – desafiou Dave ou Sue, com o hálito tóxico devido às batatas fritas que tinha roubado a uma menina do 5.º ano.

– Ou... – Joe procurou na sua mente as palavras certas para esmagar estes rufias para sempre. – Ou vou ficar muito desiludido convosco.

Mas essas não eram as palavras certas.

Os Grunhos riram-se, arrancaram o que sobrava da tablete de chocolate da mão de Bob e agarraram-no pelos braços. Levantaram-no no ar e, enquanto Bob gritava por ajuda, enfiaram-no dentro do contentor. Antes que Joe conseguisse dizer mais alguma coisa, já os Grunhos marchavam rua abaixo, a rir, com as bocas cheias de chocolate roubado. Joe arrastou uma palete de madeira para junto do contentor e pôs-se em cima dela para ficar mais alto. Debruçou-se lá para dentro e agarrou Bob. Com grande esforço, começou a puxar o amigo para fora do contentor.

– Estás bem? – perguntou, debatendo-se com o peso de Bob.

– Ah, sim. Eles fazem-me isto quase todos os dias – disse Bob, tirando um pedaço de esparguete e queijo parmesão do cabelo encaracolado – alguns pedaços já deviam lá estar desde a última vez que os gémeos o tinham atirado para o contentor.

– Então, porque não dizes à tua mãe?

– Não quero que ela se preocupe comigo. Já tem coisas suficientes com que se preocupar – respondeu Bob.

– Se calhar devias contar a um professor.

– Os Grunhos disseram que se algum dia eu dissesse a alguém, aí iriam mesmo bater-me. Eles sabem onde moro e, mesmo que fossem expulsos, haviam de me encontrar – disse Bob. Parecia que ia começar a chorar. Joe não gostava de ver o seu novo amigo triste.

– Um dia, vingo-me deles. Vais ver. O meu pai sempre disse que a melhor maneira de ganhar aos fanfarrões era fazer-lhes frente. Um dia destes, é isso mesmo que vou fazer.

Joe olhou para o seu novo amigo. Ali de pé, em roupa interior, coberto de comida italiana.

Imaginou Bob a enfrentar os Grunhos. O rapaz gordo seria massacrado.

Mas talvez haja outra forma, pensou Joe. *Se calhar consigo fazer com que os Grunhos nunca mais se metam com o Bob.*

Joe sorriu. Ainda se sentia mal por ter pagado a Bob para chegar em último lugar na corrida.

Se o seu plano resultasse, ele e Bob iriam ser mais do que amigos.

Iriam ser os *melhores* amigos do mundo.

7

Hámsteres e torradas

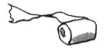

– Comprei-te uma coisa – disse Joe. Ele e Bob estavam sentados num banco, no recreio, a ver os miúdos mais ágeis a jogar futebol.

– Lá porque és um milionário, não quer dizer que tenhas de me comprar coisas – disse Bob.

– Eu sei, mas... – Joe tirou uma grande tablete de chocolate Nestlé da mochila. Os olhos de Bob iluminaram-se por instantes.

– Podemos partilhá-lo – disse Joe, antes de tirar um quadradinho de chocolate. Que depois partiu a meio.

O desapontamento no rosto de Bob foi notório.

– Estou a brincar! – disse Joe. – Toma.

Deu a tablete de chocolate a Bob para ele tirar o que quisesse.

– Oh, não – disse Bob.

– O que é? – perguntou Joe.

Bob apontou. Os Grunhos estavam a atravessar o recreio devagar, na direção deles, mesmo pelo meio dos jogos de futebol. Não que alguém se atrevesse a queixar-se.

– Rápido. Vamos fugir – disse Bob.

– Para onde?

– Para a cantina. Eles não se atrevem a ir para lá. Ninguém se atreve.

– Porquê?

– Já vais ver.

Quando irromperam pela cantina, esta estava completamente vazia, com exceção de uma única funcionária.

Uns passos atrás deles vinham os Grunhos, e continuava sem se saber qual era o rapaz e qual era a rapariga.

– Se não vão comer, saiam! – gritou a Sra. Bolor.

– Mas Sra. Bolor...? – protestaram Dave ou Sue.

– EU DISSE SAIAM!

Relutantemente, os gémeos acabaram por recuar, enquanto Joe e Bob, hesitantes, se dirigiram ao balcão.

A Sra. Bolor era uma funcionária grande, com uma alma sorridente. A caminho da cantina, Bob tinha explicado que a senhora até era simpática, mas que a comida dela era nojenta. Os miúdos na escola preferiam morrer a comer qualquer coisa que a empregada tivesse cozinhado. Na verdade, provavelmente morreriam *mesmo*, se comessem algo cozinhado por ela.

– Então, quem é esse? – perguntou a Sra. Bolor, estudando Joe.

– Este é o meu amigo, Joe – disse Bob.

Apesar de estar um cheiro horrível na cantina, Joe sentiu um calor a espalhar-se pelo corpo. Nunca ninguém lhe tinha chamado amigo!

– Então, o que vão querer hoje, jovens? – disse a Sra. Bolor com um sorriso caloroso. – Tenho aqui um ótimo empadão de texugo. Fatias de ferrugem frita. E para os vegetarianos, tenho batatas recheadas com chulé.

– Hmm, parece tudo tão bom – disse Bob, mentindo, enquanto os Grunhos olhavam para eles através das janelas imundas.

Os cozinhados da Sra. Bolor eram completamente indescritíveis. Durante a semana, um menu habitual na cantina escolar era assim:

Segunda-feira

Sopa do dia – Vespa

Torradas com hámster

Ou

Lasanha de cabelos (opção vegetariana)

Ou

Costeleta de tijolo

Todos os pratos são acompanhados com
cartão frito

Sobremesa – Uma fatia de bolo de suor

Terça-feira

Sopa do dia – Consommé de largatixa

Massa com ranho (opção vegetariana)

Ou

Assado de animal atropelado

Ou

Omelete de chinelos

Todos os pratos são acompanhados com salada de teias de aranha

Sobremesa – Gelados de unhas de pé

Quarta-feira

Sopa do dia – Creme de ouriço

Caril de papagaio (pode conter vestígios de frutos ecos)

Ou

Risotto e caspa

Ou

Sandes de pão (fatia de pão entre duas fatias de pão)

Ou

Gatinho carbonizado (opção saudável)

Ou

Bolonhesa de terra

Todos os pratos são acompanhados por madeira cozida ou raspas de metal fritas

Sobremesa – Tarte de caganitas de esquilo com creme ou gelado

Quinta-feira: Dia da Índia

Sopa do dia – Turbante

Entradas – Paparis de papel (tamanho A4 ou A3) com chutney.

Parto principal – Tandoori de toalhitas (vegan)

Ou

Korma de traça (picante)

Ou

Vindaloo de tritão (muito picante)

Todos os pratos são acompanhados com bhajis de macacos do nariz

Sobremesa – Uma refrescante sorvete de areia

Sexta-feira

Sopa do dia – Cágado

Bifes de lontras salteadas

Ou

Quiche de mocho (prato kosher)

Ou

Caniche cozido (não apropriado para
vegetarianos)

Todos os pratos são acompanhados com
uma fatia de molho

Sobremesa – Mousse de rato

– É tão difícil escolher… – disse Bob, procurando desesperadamente nas travessas de comida algo comestível. – Hmm,
acho que vamos querer duas batatas recheadas, por favor.

– Há alguma hipótese de virem sem o chulé? – suplicou Joe.

Bob olhou esperançoso para a Sra. Bolor.

– Posso polvilhar umas raspas de cera de ouvido, se preferirem? Ou uns salpicos de caspa? – ofereceu a funcionária com um sorriso.

– Hmm, acho que vou querer assim simples, por favor – disse Joe.

– Um pouco de bolor cozido a acompanhar, talvez? Vocês estão a crescer... – sugeriu a Sra. Bolor, segurando uma colher de servir com algo verde e indescritível.

– Estou de dieta, Sra. Bolor – disse Joe.

– Eu também – acrescentou Bob.

– Que pena, meninos – disse a funcionária da cantina, com pesar. – Tenho uma sobremesa fantástica hoje. Leite--creme de alforreca.

– Olhe que pena, o meu preferido! – disse Joe. – Deixe lá.

Joe pegou no tabuleiro, dirigiu-se a uma das mesas e sentou-se. Ao tocar com a faca e o garfo na batata, apercebeu-se de que a Sra. Bolor se tinha esquecido de a cozinhar.

– Como estão as vossas batatas? – perguntou a funcionária do outro lado da cantina.

– Deliciosas. Obrigado, Sra. Bolor – respondeu Joe, empurrando a batata crua pelo prato fora. Ainda estava coberta de terra e viu que tinha uma larva a sair de dentro dela. – Detesto quando estão demasiado cozidas. Assim está perfeito!

– Ótimo, ótimo! – disse ela.

Bob estava a tentar trincar a batata dele, mas estava tão intragável que começou a chorar.

– Passa-se alguma coisa, rapaz? – perguntou a Sra. Bolor.

– Ah, não. É tão deliciosa que isto são lágrimas de alegria! – disse Bob.

PPPPPPPPPPPLLLLLLLLLLLLIIIIII IIIIIIMMMMMMMMMMMMM!

Para ti, leitor: mais uma vez, isto não foi a tua campainha. É a campainha a assinalar o final do almoço.

– Oh, que pena, Sra. Bolor – disse Joe. – Temos de ir agora para a aula de Matemática.

A Sra. Bolor coxeou até eles e inspecionou os pratos.

– Quase nem tocaram na comida! – disse ela.

– Desculpe. Enche tanto! Mas é muito muito saboroso – disse Joe.

– Hmm – concordou Bob, ainda a chorar.

– Bem, não importa. Posso pô-las no frigorífico e acabam--nas amanhã.

Joe e Bob olharam um para o outro, horrorizados.

– A sério, não quero que se incomode – disse Joe.

– Não é incómodo nenhum. Até amanhã! E olhem que amanhã vou ter pratos especiais. É o aniversário dos bombardeamentos de Pearl Harbor, por isso é o Dia do Japão. Vou fazer *sushi* de pelos do sovaco, seguido de *tempura* de girinos... Meninos...? Meninos...?

– Acho que os Grunhos já se foram embora – disse Bob, enquanto se escapavam da cantina. – Tenho só de ir à casa de banho.

– Eu espero por ti – disse Joe. Encostou-se à parede, enquanto Bob desaparecia pela porta da casa de banho. Normalmente, Joe teria dito que os quartos de banho cheiravam mal e que detestava ter de os usar, depois de conhecer a maravilhosa privacidade da sua própria casa de banho, com banheira tipo imperador. Mas a realidade era que as casas de banho não cheiravam tão mal quanto a cantina.

De repente, Joe sentiu duas figuras a pairar atrás dele. Não precisava de se virar: sabia que eram os Grunhos.

– Onde é que ele está? – perguntou um deles.

– Está na casa de banho dos rapazes, mas não podem entrar lá dentro – disse Joe. – Bem, um de vocês, pelo menos, não pode.

– Onde está o chocolate? – perguntou o outro.

– O Bob é que o tem – respondeu Joe.

– Então, vamos esperar por ele aqui – disse um Grunho.

O outro Grunho virou-se para Joe com um olhar mortífero.

– Agora dá-nos um euro. Isto é, a não ser que queiras ficar com um braço dormente.

Joe engoliu em seco.

– Na verdade… ainda bem que vos encontro, rapazes. Quero dizer, rapaz e rapariga, obviamente.

– Obviamente – disse Dave ou Sue. – Dá-nos um euro.

– Espera – disse Joe. – É que… estava só a pensar…

– Põe-lhe o braço dormente, Sue – disse um dos Grunhos,

revelando, talvez pela primeira vez, qual dos dois era rapaz e qual era rapariga. Foi então que os Grunhos agarraram Joe, viraram-no de costas e ele deixou de perceber quem era quem.

– Não! Espera – disse Joe. – O que se passa é que... quero fazer-vos uma proposta...

8

A Bruxa

PPppppPPPPPLLLLLLLLLLIIIIII IIIIIIMMMMMMMMMMMM!

– A campainha é para mim, e não para vocês! – disse bruscamente a professora Seca. Os professores adoravam dizer aquilo. É um dos chavões deles, como tenho a certeza de que já sabes. Os dez principais chavões de todos os tempos usados por professores são:

 No número 10... – Anda, não corras!

Com lugar reservado no número 9...
– Estás a mastigar chiclete?

Subindo três lugares, e agora no número
8... – Ainda ouço pessoas a falar.

Anteriormente em número 1, e agora no
número 7... – Não se fala mais nisso.

Uma nova entrada para número 6...
– Quantas vezes preciso de te dizer?

Descendo um lugar para número 5...
– Erros! Olha a ortografia!

Mais um lugar cativo, no número 4...
– Não façam lixo!

Nova entrada, para o número 3... – Querem passar nos exames nacionais?

Quase a chegar ao topo, no número 2... – Em tua casa fazes isso?

E mantendo-se no número 1... – Não só te desiludiste a ti próprio como ainda desiludiste a escola inteira.

A professora Seca dava aulas de História. E cheirava a couve podre. Este era o aspeto mais positivo nela. Era uma das professoras mais temidas da escola. Quando sorria, parecia um crocodilo prestes a comer-te. Um dos passatempos preferidos da professora Seca era dar castigos, e uma vez suspendeu uma rapariga por deixar cair uma ervilha no chão da cantina.

– Essa ervilha podia ter arrancado o olho a alguém! – gritara.

Os miúdos na escola divertiam-se a inventar alcunhas para os professores. Algumas eram simpáticas, outras cruéis. O professor Paz, que dava Francês, era o "Tomate", por ter uma cara redonda e vermelha como um tomate. O diretor da escola, o professor Poeiras, era "A Tartaruga", pois parecia uma tartaruga. Era muito velho, cheio de rugas e andava devagar, demasiado devagar. O vice-diretor, o professor Baixote, era conhecido por "professor Sovacos", porque cheirava muito a suor, principalmente no verão. E a professora de Biologia, a Sra. MacDonald, era a "A Mulher Barbuda" ou até "Dartacão" porque... bem, podem imaginar porquê.

Mas à professora Seca os miúdos chamavam apenas "A Bruxa". Era o único nome que se enquadrava e se tinha mantido ao longo de várias gerações.

Mesmo assim, todos os miúdos a quem ela dava aulas passavam nos exames. Tinham demasiado medo dela e, por isso, fartavam-se de estudar.

– Ainda temos a pequena questão dos trabalhos de casa de ontem – anunciou a professora Seca com um gosto maléfico

97

que sugeria querer desesperadamente que alguém não os tivesse feito.

Joe pôs a mão dentro da mochila. Que desastre. O caderno de exercícios não estava lá. Tinha passado toda a noite a escrever um texto extremamente aborrecido com 500 palavras sobre uma velha rainha qualquer, que já tinha morrido, mas, na pressa de ir para a escola, devia tê-lo deixado em cima da cama.

Oh, não, pensou Joe. *Oh, não, não, não, não, não...*

Joe olhou para Bob, mas tudo o que o amigo podia fazer era uma expressão de pena.

A professora Seca percorreu a sala de aula como um Tiranossauro Rex a decidir que pequena criatura havia de comer primeiro. Perante a sua evidente deceção, um mar de mãozinhas pegajosas levantou trabalho sobre trabalho no ar. A professora recolheu-os, antes de parar perto de Batata.

– Professora...? – gaguejou ele.

– Siiiiiiiimmmmmmmm, Bbbbaaaattttaaaatttaaaaaa? – disse a professora Seca, arrastando as palavras o máximo que podia de forma a poder apreciar este momento delicioso.

– Eu fiz o trabalho, mas...

– Ah, sim, claro que fizeste! – cacarejou a Bruxa. Todos os outros alunos, à exceção de Bob, também riram entre dentes. Não havia algo mais agradável do que ver outra pessoa a meter--se em sarilhos.

– Deixei-o em casa.

– Vais fazer trabalho comunitário a apanhar lixo! – rosnou a professora.

– Não estou a mentir, professora. E o meu pai hoje vai estar em casa, por isso ele podia...

– Eu devia ter adivinhado. O teu pai de certeza que não tem um tostão, recebe subsídio e fica em casa a ver televisão o dia todo; tal como tu certamente farás daqui a 10 anos. Certo...?

Joe e Bob não resistiram e trocaram um sorrisinho ao ouvir isto.

– Hmm... – disse Joe. – Se eu lhe ligasse e pedisse para trazer aqui o trabalho, a professora acreditava em mim?

A professora Seca fez um grande sorriso. Ela ia gostar de ver isto.

– Batata, dou-te precisamente 15 minutos para colocares o trabalho na minha mão. Espero que o teu pai seja rápido.

– Mas... – começou Joe.

– Nem mas, nem meio mas. 15 minutos.

– Ora, muito obrigado, professora – disse Joe, sarcasticamente.

– Não tem de quê – disse a Bruxa. – Gosto de pensar que, na minha aula, todos têm direito a uma hipótese justa para retificarem os seus erros.

Virou-se para o resto da turma.

– Os restantes estão dispensados – disse ela.

Os miúdos começaram a espalhar-se pelo corredor. A professora Seca espreitou para fora da sala e gritou:

– Andem, não corram!

A professora Seca não conseguia resistir a usar os chavões.

Ela era a rainha dos chavões. E não conseguia parar.

– Não se fala mais nisso! – gritava a professora aleatoriamente para os alunos. Agora tinha-lhe tomado o gosto. – Estás a mastigar chiclete? – gritou pelo corredor a um inspetor escolar que passava.

– 15 minutos, professora? – perguntou Joe.

A professora Seca estudou o seu pequeno e antigo relógio de pulso.

– Por acaso, são 14 minutos e 51 segundos.

Joe engoliu em seco. Será que o pai dele conseguiria chegar à escola em tão pouco tempo?

9

Barrinha?

– Queres uma barrinha? – perguntou Bob, oferecendo metade do seu Twix ao amigo.

– Obrigado, amigo – respondeu Joe.

Estavam num canto sossegado do recreio, contemplando o destino sombrio de Joe.

– O que vais fazer?

– Não sei. Mandei mensagem ao meu pai. Mas não há qualquer hipótese de ele chegar cá em 15 minutos. O que faço?

Passaram algumas ideias pela cabeça de Joe.

*

Podia inventar uma máquina do tempo, regressar ao passado e lembrar-se de não se esquecer do trabalho de casa. Podia ser um pouco difícil de fazer, pois se as máquinas do tempo tivessem mesmo *sido* inventadas, então talvez alguém viesse do futuro e prevenisse o nascimento de apresentadores de televisão pirosos.

Joe podia voltar à sala de aula e dizer à professora Seca que o tigre lhe tinha comido o trabalho de casa. Seria só uma pequena mentira, pois eles tinham um jardim zoológico privativo e um tigre. Chamado Geoff. E um crocodilo, chamado Jenny.

Tornar-se uma freira. Teria de viver num convento e passar os dias a rezar e a cantar hinos e coisas do tipo religioso. Por um lado, o convento dar-lhe-ia refúgio da professora Seca, e ele até ficava bem de preto, mas, por outro lado, podia ser um pouco aborrecido.

Ir viver para outro planeta. Vénus era mais perto, mas era capaz de ser mais seguro ir para Neptuno.

Viver o resto da vida debaixo de terra. Talvez até começar uma tribo de moradores por-baixo-da-superfície-da-terra e criar toda uma sociedade secreta de pessoas que deviam trabalhos de casa à professora Seca.

Fazer cirurgia plástica e mudar de identidade. Ser uma velha senhora chamada Winnie para o resto da vida.

Tornar-se invisível. Joe não tinha a certeza de como isto seria possível.

Ir à livraria mais próxima, comprar um livro chamado *Como aprender a controlar a mente em dez minutos*, escrito pelo professor Stephen Haste, e rapidamente hipnotizar a professora Seca, fazendo-a pensar que ele já lhe tinha dado o trabalho de casa.

Mascarar-se de prato de esparguete à bolonhesa.

Subornar a enfermeira da escola para esta dizer à professora Seca que ele tinha morrido.

Esconder-se num arbusto para o resto da vida. Sobreviveria alimentando-se de minhocas e larvas.

Pintar-se de azul e dizer que era um Smurf.

Joe ainda nem tinha tido tempo para pensar nestas opções quando duas sombras familiares apareceram por detrás deles.

– Bob – disse uma delas, numa voz que não era suficientemente grave nem suficientemente aguda para que se percebesse se era rapaz ou rapariga.

Os rapazes viraram-se. Bob, já farto de lutar, limitou-se a dar-lhe a barrinha de Twix, um pouco mordida.

– Não te preocupes – sussurrou para Joe. – Escondi uns quantos Smarties na minha meia.

– Nós não queremos o teu Twix – disse o primeiro Grunho.

– Não? – perguntou Bob.

Bob sentiu-se confuso. Seria possível que os Grunhos tivessem descoberto os Smarties?

– Não, queríamos só pedir desculpa por vos gozar – disse o segundo Grunho.

– E como gesto de paz, gostávamos de vos convidar para lanchar – ofereceu o primeiro Grunho.

– Lanchar? – perguntou Bob, incrédulo.

– Sim, e talvez até jogar aos Hipopótamos Comilões – continuou o segundo Grunho.

Bob olhou para Joe, mas o seu amigo encolheu os ombros.

– Obrigado, rapazes. Quero dizer, rapaz e rapariga, obviamente...

– Obviamente – disse um Grunho não identificado.

– ... mas hoje estou um pouco ocupado – continuou Bob.

– Talvez numa outra altura – disse um dos Grunhos.

Os gémeos viraram costas e foram-se embora.

– Mas que estranho – comentou Bob, tirando alguns Smarties, que agora tinham um leve travo a peúga. – Não me consigo imaginar a ter vontade de jogar aos Hipopótamos Comilões com aqueles dois. Nem que vivesse até aos 100 anos.

– Sim, foi esquisito... – disse Joe, desviando rapidamente o olhar.

Naquele momento, ouviu-se um rugido ensurdecedor por cima deles. Joe olhou para cima. Um helicóptero pairava sobre os amigos. Em três tempos, os jogos de futebol pararam e os miúdos abriram alas para a aeronave que descia. Centenas de almoços em lancheiras voavam pelo ar com a força das pás. Pacotes de batatas fritas, chocolates e até uma barrita de frutos secos dançavam pelo ar, antes de se esmagarem no chão, quando o motor do helicóptero se desligou e as pás diminuíram de velocidade, até finalmente pararem.

O Sr. Batata saltou do lugar do passageiro e correu pelo recreio fora com o trabalho do filho na mão.

Oh, não!, pensou Joe.

O Sr. Batata estava a usar o seu capachinho castanho, segurando-o na cabeça com ambas as mãos e vestia um fato de treino dourado com as palavras RABO NO AR escritas nas costas com letras brilhantes. Joe achou que ia morrer de vergonha. Tentou esconder-se atrás de um dos miúdos mais velhos. Contudo, era demasiado gordo e o pai conseguiu vê-lo.

– Joe! Joe! Aí estás tu! – gritou o Sr. Batata.

Todos os outros miúdos olharam fixamente para Joe Batata. Não tinham prestado muita atenção àquele miúdo novo, baixinho e gordo. Aparentemente, o pai dele tinha um helicóptero. Um helicóptero a sério! Uau!

– Toma o teu trabalho, filho. Espero que esteja tudo bem. E reparei que me esqueci de te dar o dinheiro para o jantar. Toma 500 euros.

O Sr. Batata tirou um rolo de notas de 50 euros, novas em

folha, da sua carteira de pele de zebra. Joe recusou o dinheiro, enquanto os outros miúdos olhavam, invejosos.

– Venho buscar-te às quatro, filho? – perguntou o Sr. Batata.

– Não é preciso. Obrigado, pai. Eu apanho o autocarro – sussurrou Joe, olhando para o chão.

– De helicóptero? Pode vir é buscar-me a *mim*, amigo! – disse um dos rapazes mais velhos.

– E a mim! – gritou outro.

– E a mim!

– A mim!

– A MIM!!

– ESCOLHA-ME A MIM!!

Num instante, todos os miúdos no recreio gritavam e acenavam, tentando obter a atenção do homem gordo e baixo que vestia um fato de treino dourado.

O Sr. Batata riu-se.

– Talvez queiras convidar alguns dos teus amigos no fim de semana e podem todos andar de helicóptero! – disse ele, sorrindo.

Um enorme coro de aplausos ecoou pelo recreio.

– Mas, pai…

Isso era a última coisa que Joe queria. Que todos vissem quão monstruosamente cara era a casa dele e a quantidade de coisas loucas que tinham. Olhou para o relógio digital de plástico. Tinha agora menos de 30 segundos.

– Pai, tenho de ir – balbuciou Joe.

Tirou o trabalho das mãos do pai e correu pelo edifício principal da escola o mais depressa que as suas pernas curtas e gordas lhe permitiram.

Correndo escadaria acima, passou pelo velhíssimo diretor da escola, que descia os degraus sentado numa cadeira elevatória. O professor Poeiras parecia ter pelo menos 100 anos, mas era provavelmente mais velho. Estaria melhor numa exposição no Museu de História Natural do que a dirigir uma escola, mas o homem até era bastante inofensivo.

– Não corras, anda! – murmurou o diretor. Mesmo os professores muito velhos gostavam dos chavões.

Lançando-se corredor fora até à sala de aula onde a professora Seca o esperava, Joe apercebeu-se de que metade da escola o estava a seguir. Até ouviu alguém gritar:

– Ei, miúdo RabinhoFresco!

Enervado, continuou a correr, irrompendo pela sala de aula. A Bruxa tinha o relógio na mão.

– Está aqui, professora Seca! – declarou Joe.

– Estás cinco segundos atrasado! – afirmou a professora.

– Deve estar a brincar comigo, professora!

Joe não conseguia acreditar que alguém pudesse ser tão mau. Olhou para trás e viu centenas de alunos a olhá-lo fixamente através do vidro. Era tal a ânsia de vislumbrar o rapaz

mais rico da escola, ou talvez até do mundo, que os muitos na-
rizes encostados ao vidro faziam crer que estava perante uma
tribo de crianças-porco.

– Trabalho comunitário! – ordenou a professora Seca.

– Mas, professora...

– Uma semana de trabalho comunitário!

– Professora...

– Um mês de trabalho comunitário!

Joe decidiu não dizer mais nada e arrastou-se pela sala.
Fechou a porta atrás de si. No corredor, centenas de pares de
olhinhos ainda o observavam fixamente.

– Ei! Rapaz milionário! – ouviu-se uma voz grossa do
fundo. Era um dos rapazes mais velhos, mas Joe não conseguia

perceber quem era. No 12.º ano, *todos* os rapazes tinham bigodes e guiavam um Ford Fiesta. Todas as suas boquinhas se riram.

— Empresta-nos um milhão de euros! — gritou alguém.

O riso era agora ensurdecedor. O barulho enchia o ar.

A *minha vida acabou oficialmente*, pensou Joe.

10

Baba de cão

Joe apressou-se a atravessar o recreio até à cantina, rodeado por todos os outros miúdos. Manteve a cabeça baixa. Não gostava nada desta repentina popularidade. As vozes rodopiavam à sua volta.

– Ei! Rapaz Rabo! Vou ser o teu melhor amigo!

– A minha bicicleta foi roubada. Dá-me outra, amigo.

– Empresta-me cinco euritos...

– Deixa-me ser o teu guarda-costas.

– Conheces o Justin Timberlake?

– A minha avó precisa de uma casinha nova, dás-me uns 100 mil?

– Quantos helicópteros tens?

– Porque é que ainda vens à escola? És **rico!**

– Podes dar-me um autógrafo?

– Porque não dás uma festa enorme em tua casa no sábado à noite?

– Posso ter rolos de papel higiénico para sempre?

– Porque não compras a escola e despedes todos os professores?

– Não podes só comprar-me um pacote de Maltesers? Está bem, está bem, um Malteser? És tãããão mau!

Joe começou a correr. A multidão também começou a correr. Joe abrandou. A multidão também abrandou. Joe virou-se e começou a andar na direção oposta. A multidão também se virou e começou a andar na direção oposta.

Uma rapariguinha ruiva tentou agarrar na mochila de Joe, que afastou a mão dela com o punho.

– Ai! Acho que partiste a minha mão – gritou ela. – Vou processar-te por 10 milhões de euros!

– Bate-me a mim! – disse outra voz.

– Não, a mim! Bate-me a mim! – disse outra.

Um rapaz alto de óculos teve uma ideia melhor.

– Dá-me um pontapé numa perna e podemos chegar a um acordo amigável por dois milhões! Por favor?

Joe deu uma corrida até à cantina. Devia ser o único sítio que à hora do almoço estaria certamente vazio. Joe debateu-se para conseguir fechar as portas duplas contra o maremoto de crianças que queria entrar, mas não valia a pena. Irromperam pelas portas, inundando a cantina.

– FAÇAM UMA FILA! – gritou a funcionária da cantina, a Sra. Bolor.

Joe deslocou-se até ao balcão.

– O que queres hoje, jovem Joe? – disse com um sorriso terno. – Tenho uma ótima sopa de urtiga para entrada.

– Hoje não tenho assim muita fome, Sra. Bolor, acho que vou diretamente para o prato principal.

– São bifinhos de frango.

– Ahh, deve ser bom.

– Sim, e vêm num molho de baba de cão. Ou então, para os vegetarianos, tenho pensos rápidos fritos.

Joe engoliu em seco.

– Hmm, é tão difícil escolher. É que, sabe, já comi baba de cão ontem à noite.

– Que pena. Então, eu dou-te um prato de pensos rápidos fritos – disse a funcionária, deitando no prato de Joe um monte de algo azul, peganhento, que só dava vontade de vomitar.

– Se não vão almoçar, então saiam! – gritou a Sra. Bolor para a multidão que ainda estava agrupada perto das portas.

– O pai do Batata tem um helicóptero, Sra. Bolor – ouviu-se uma voz lá do fundo.

– Ele é super-rico! – ouviu-se outra voz.

– Ele é diferente de nós! – disse uma terceira voz.

– Põe-me o braço dormente, Batata, e dás-me um quarto de milhão – implorou uma vozinha ao fundo da multidão.

– EU DISSE FORA! – gritou a Sra. Bolor.

A multidão recuou, relutante, e contentou-se a olhar para Joe através das janelas peganhentas.

Com a faca, Joe retirou a capa frita da gosma que a continha. Agora, a batata crua parecia um manjar vindo dos deuses.

Alguns momentos depois, a Sra. Bolor coxeou até à mesa ele onde estava sentado.

– Porque estão todos a olhar para ti assim? – perguntou ternamente, deixando-se cair a seu lado.

– Bem, é uma longa história, Sra. Bolor.

– Podes contar-me, querido – disse a funcionária. – Trabalho numa cantina. Acho que já ouvi de tudo.

– Bem, então…

Joe acabou de comer o último grande pedaço de adesivo que tinha na boca e contou tudo à velha funcionária. Contou como o pai tinha inventado o RabinhoFresco, como agora moravam numa mansão monstruosa, como em tempos tinham tido um mordomo que era um orangotango (o que causou alguma inveja à senhora) e como ninguém teria suspeitado de nada se o parvo do pai não tivesse aterrado o parvo do helicóptero no recreio.

Enquanto falava, todos os outros miúdos continuavam a olhar pelas janelas, como se ele fosse um animal num jardim zoológico.

– Tenho imensa pena, Joe – disse a Sra. Bolor. – Deve ser horrível para ti. Pobre rapaz. Quer dizer, pobre não, mas tu percebes o que quero dizer.

– Obrigado, Sra. Bolor. – Joe ficou surpreendido com a solidariedade daquela senhora para com alguém que tinha tudo.

– Não é fácil. Já não sei em quem posso confiar. Parece que agora todos os miúdos da escola querem alguma coisa de mim.

– Pois, imagino – disse a Sra. Bolor, tirando uma sanduíche embalada da carteira.

– A senhora traz almoço de casa? – perguntou Joe, surpreendido.

– Ah, sim. Nunca comeria esta porcaria. É nojenta – disse ela.

A funcionária moveu a mão vagarosamente ao longo da mesa e colocou-a em cima da mão de Joe.

– Obrigado por me ter ouvido, Sra. Bolor.

– Não te preocupes, Joe. Estou aqui para ti sempre que precisares. Sabes disso, sempre que precisares.

A funcionária sorriu e Joe também.

– Bem… – disse a Sra. Bolor. – Já agora, só preciso de 10 mil euros para uma operação à anca…

11

Férias no campismo

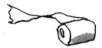

– Esqueceste-te ali de um bocado – disse Bob.

Joe dobrou-se e apanhou outro pedaço de lixo do recreio e pô-lo no saco que a professora Seca tão generosamente tinha oferecido. Eram já cinco da tarde e no recreio não havia crianças. Só restava o lixo delas.

– Pensava que tinhas dito que me ias ajudar – disse Joe num tom acusatório.

– E estou a ajudar-te! Olha ali outro pedaço.

Bob apontou para outro papel de rebuçado caído no chão, enquanto comia batatas fritas. Joe baixou-se e apanhou-o. Era um papel de Twix.

Provavelmente um papel que ele próprio teria deixado cair.

– Bem, suponho que já todos saibam como és rico, Joe – disse Bob. – Lamento.

– Sim, parece que sim.

– Imagino que agora todos os miúdos da escola devem querer ser teus amigos... – disse Bob baixinho.

Quando Joe olhou para ele, Bob virou a cara.

– Talvez – disse Joe, sorrindo. – Mas para mim é mais importante já sermos amigos antes de toda a gente saber.

Bob mostrou um sorriso aberto.

– Fixe – disse ele. Depois, voltou a apontar para o chão.

– Esqueceste-te de mais um pedaço ali, Joe.

– Obrigado, Bob – suspirou Joe, baixando-se novamente, desta vez para apanhar o pacote de batatas fritas que o amigo acabara de deixar cair.

– Oh, não – disse Bob.

– O que se passa?

– Os Grunhos!

– Onde?

– Ali, à beira do barracão dos arrumos. O que querem eles desta vez?

Os gémeos estavam à espreita por detrás do barracão. Quando viram Joe e Bob, acenaram.

– Não sei o que foi pior – continuou Bob. – Ser gozado por eles ou ser convidado para lanchar.

– OLÁ, BOB! – gritou um dos Grunhos, à medida que ambos caminhavam desajeitadamente em direção a eles.

– Olá, Grunhos – respondeu Bob, já cansado.

Rapidamente os gémeos chegaram ao sítio onde estavam os dois rapazes.

– Estivemos a pensar – continuou o outro. – Nós vamos acampar este fim de semana. Querem vir connosco?

Bob olhou para Joe como quem pede ajuda. Ir acampar com aqueles dois não era um convite muito convidativo.

– Ah, que pena – disse Bob. – Estou ocupado neste fim de semana.

– E no próximo fim de semana? – perguntou o primeiro Grunho.

– Tenho pena, mas nesse também estou.

– E no outro a seguir a esse? – perguntou o segundo.

– Completamente... – gaguejou Bob – assoberbado de coisas para fazer. Tenho imensa pena. Devia ser mesmo divertido. Seja como for, até amanhã, desculpem, adorava ficar a conversar, mas tenho de ajudar o Joe com o trabalho comunitário. Chau!

– Um fim de semana qualquer para o ano que vem? – perguntou o primeiro Grunho.

Bob parou.

– Hmm... hmm... Para o ano é complicado. Eu gostava imenso, imenso, de ir, mas tenho muita pena...

– E no ano a seguir a esse? – perguntou o segundo Grunho.

– Tens algum fim de semana livre? Temos uma tenda mesmo gira.

Bob já não se conseguia conter.

– Desculpem lá. Um dia estão a gozar comigo, no outro estão a convidar-me para passar o fim de semana convosco numa tenda! Que raio se está a passar?

Os Grunhos olharam para Joe, como quem pede ajuda.

– Joe? – disse um deles.

– Pensávamos que ia ser fácil sermos simpáticos para o Banhas – disse o outro. – Mas ele diz-nos não a tudo. O que é que podemos fazer, Joe?

Joe tossiu, não muito subtilmente. Mas os Grunhos pareceram não entender.

– Tu pagaste-lhes para eles não me gozarem, não foi? – exigiu saber Bob.

– Não – respondeu Joe, de forma não muito convincente.

Bob virou-se para os Grunhos.

– Ele *pagou-vos?* – exigiu saber.

– Não-sim… – disseram os Grunhos. – Quer dizer, sim--não.

– Quanto é que ele vos pagou?

Os Grunhos olharam para Joe, pedindo ajuda, mas já era demasiado tarde. Tinham sido apanhados.

– 10 euros a cada um – disse um dos Grunhos. – E nós *vimos* o helicóptero, Batata. Não somos burros. Queremos mais dinheiro.

– Sim! – continuou o outro. – E vamos atirar-te para o contentor, Joe, a não ser que nos dês 11 euros a cada um, amanhã de manhã.

Os Grunhos foram-se embora, zangados.

Os olhos de Bob encheram-se de lágrimas de raiva.

– Achas que o dinheiro é solução para tudo, não é?

Joe estava estupefacto. Ele tinha pagado aos Grunhos para

ajudar Bob. Não sabia por que motivo o amigo estava tão transtornado.

– Bob, estava só a tentar ajudar-te, não queria...

– Não quero que tenhas pena de mim, sabes?

– Eu sei. Só queria...

– Sim?

– Só não queria ver-te a ir para dentro do contentor outra vez.

– Certo – disse Bob. – E achaste que seria melhor os Grunhos ficarem todos esquisitos e amistosos e pedirem-me para ir acampar.

– Bem, eles é que se lembraram da parte de ir acampar. Mas, sim!

Bob abanou a cabeça.

– Não consigo acreditar. És mesmo um... um... puto mimado!

– O quê? – perguntou Joe. – Estava só a tentar ajudar-te! Gostavas mais de ir para dentro do contentor e que te roubassem o chocolate?

– Sim! – gritou Bob. – Sim, gostava! Eu sei tomar conta de mim, obrigado!

– Como queiras – disse Joe. – Espero que te divirtas a ser atirado para dentro do contentor.

– E divirto – respondeu Bob, antes de se ir embora, zangado.

– Totó! – gritou Joe, mas Bob não olhou para trás.

Joe ficou sozinho, com um mar de lixo à sua volta. Apunhalou um pacote de Mars com o seu pau de apanhar lixo. Não conseguia perceber Bob. Achava que tinha encontrado um amigo, mas, na verdade, tinha encontrado um rapaz egoísta, mal-humorado, ingrato... um *desagridoso*.

12

A brasa da página três

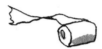

– E, ainda assim, a Bruxa mandou-me fazer trabalho comunitário! – disse Joe.

Estava sentado com o pai numa das pontas da muito envernizada mesa de 100 lugares, à espera do jantar. Pendiam sobre eles candelabros exageradamente grandes, feitos de diamantes, e, a adornar as paredes, havia pinturas que não eram muito bonitas, mas que tinham custado milhões de euros.

– Mesmo depois de te ter deixado o trabalho de casa de helicóptero? – perguntou o Sr. Batata, zangado.

– Sim, foi mesmo injusto! – respondeu Joe.

– Eu não inventei o papel higiénico de dupla face, seco e húmido, para o meu filho ser obrigado a fazer trabalho comunitário!

– Eu sei – disse Joe. – Aquela professora Seca é mesmo uma parva!

– Amanhã vou voar até à escola e dizer a essa tua professora uma ou duas coisas!

– Por favor, não vás, pai! Já fiquei demasiado envergonhado quando lá foste hoje!

– Desculpa, filho – disse o Sr. Batata. Pareceu ficar um pouco magoado, o que fez Joe sentir-se culpado. – Estava só a tentar ajudar.

Joe suspirou.

– Só não o voltes a fazer, pai. É horrível toda a gente saber que sou o filho do homem RabinhoFresco.

– Bem, não posso evitá-lo, rapaz! Foi assim que fiz todo este dinheiro. É por isso que vivemos nesta casa grande.

– Sim… suponho que sim – disse Joe. – Mas não voltes a aparecer no RaboHelicóptero ou assim, está bem?

– Está bem – disse o Sr. Batata. – Como está a correr tudo com aquele teu amigo?

– Com o Bob? Ele já não é bem meu amigo – respondeu Joe, deixando cair a cabeça.

– E porquê? – perguntou o Sr. Batata. – Pensava que vocês se estavam a dar muito bem.

– Eu paguei a uns miúdos fanfarrões, mas era para o ajudar – disse Joe. – Eles andavam a aterrorizá-lo, por isso dei-lhes algum dinheiro para o deixarem em paz.

– Sim, e então?

– Bem, ele descobriu. E depois, vê lá, ficou todo chateado. Chamou-me puto mimado!

– Porquê?

– Como é que eu hei de saber? Ele disse que preferia ser gozado a ter a minha ajuda.

O Sr. Batata abanou a cabeça, incrédulo.

– O Bob parece-me um pouco parvo. O que acontece é que quando se tem dinheiro como nós temos, encontramos muitas pessoas ingratas. Acho que ficas melhor sem este teu amigo Bob. Parece-me que ele não percebe a importância do dinheiro. Se ele quer ser infeliz, deixa-o ser.

– Sim – concordou Joe.

– Vais fazer outro amigo na escola, filho – disse o Sr. Batata. – Tu és rico. As pessoas gostam disso. Pelo menos as pessoas sensatas gostam. Não como este idiota, o Bob.

– Não tenho tanta certeza – disse Joe. – Não agora que toda a gente sabe quem eu sou.

– Vais sim, Joe. Confia em mim – disse o Sr. Batata, sorrindo.

O mordomo impecavelmente vestido entrou na sala de jantar pelas portas duplas feitas de madeira de carvalho pura. Tossiu dramaticamente para captar a atenção do patrão.

– Cavalheiros, a Sra. Pedra Safira.

O Sr. Batata pôs rapidamente o seu capachinho ruivo, enquanto a brasa das revistas masculinas chamada Safira entrou na sala com os seus saltos incrivelmente altos a martelarem no chão.

– Desculpem o atraso, estive no solário – anunciou ela.

Isso era evidente. Safira tinha um bronzeado falso espalhado por cada centímetro da sua pele. Agora, estava cor de laranja. Tão laranja como uma laranja, se não fosse ainda mais alaranjada. Pensa na pessoa mais alaranjada que já conheceste e multiplica o alaranjamento por 10. Como se já não estivesse suficientemente assustadora, ainda usava um mini vestido verde lima e segurava uma pochete rosa choque.

– O que é que *ela* está aqui a fazer? – exigiu saber Joe.

– Sê simpático! – respondeu bruscamente o pai.

– Bela casota – disse Safira, admirando as pinturas e os candelabros.

– Obrigado. É apenas uma das minhas 17 casas. Mordomo, por favor, diga ao *chef* que queremos jantar agora. O que vamos comer hoje?

– *Foie gras*, senhor – respondeu o mordomo.

– O que é isso? – perguntou o Sr. Batata.

– Fígado de ganso engordado. Uma especialidade, senhor.

Safira fez uma careta.

– Eu como só um pacote de batatas fritas.

– Eu também! – disse Joe.

– E eu! – disse o Sr. Batata.

– Trarei de imediato três pacotes de batatas fritas, senhor – disse o mordomo, com um sorriso de desdém.

– Estás linda hoje, meu anjo! – disse o Sr. Batata, antes de se aproximar de Safira para lhe dar um beijo.

– Não me esborrates o batom! – reclamou Safira, afastando-o à força com a mão.

O Sr. Batata ficou claramente um pouco magoado, mas tentou escondê-lo.

– Por favor, senta-te. Vejo que trazes a carteira Dior que te mandei.

– Sim, mas fazem esta carteira em oito cores diferentes – queixou-se ela. – Uma para cada dia da semana. Pensava que me ias dar as oito.

– E dou, minha doce princesa... – balbuciou o Sr. Batata.

Joe olhou fixamente para o pai. Não conseguia acreditar que ele se tivesse apaixonado por aquela mulher tão falsa.

– O jantar está servido – anunciou o mordomo.

– Anda, meu belo anjo do amor, senta-te aqui – disse o Sr. Batata, enquanto o mordomo puxava uma cadeira para Safira se sentar.

Três criados segurando travessas de prata entraram na sala de jantar. Pousaram as travessas cuidadosamente em cima da mesa. O mordomo acenou e os criados retiraram as tampas em prata, revelando três pacotes de batatas fritas com sabor a presunto. O trio começou a comer. Inicialmente, o Sr. Batata tentou comer as batatas fritas de faca e garfo, para parecer chique, mas rapidamente desistiu.

– Bem, o meu *anifersário* é já daqui a onze meses – disse Safira. – Por isso, fiz uma listinha de presentes para me comprares...

As unhas de Safira eram tão compridas e falsas que quase não conseguia tirar o pedaço de papel da carteira cor-de-rosa. Era como ver uma daquelas máquinas de apanhar brinquedos na feira popular onde nunca se ganha. Eventualmente, conseguiu apanhá-lo e deu-o ao Sr. Batata. Joe olhou por cima do ombro do pai e leu o que ela tinha escrito.

Lista de prendas para o anifersário da Safira:

- **Um Rolls-Royce descapotável feito em ouro maciço**
- **Um milhão de euros em dinheiro**
- **500 pares de óculos Versace**

- Uma casa de férias em Marbella (grande)
- Um balde de diamantes
- Um unicórnio
- Uma caixa de chocolates Ferrero Rocher (grande)
- Um iate enorme, gigantesco, tipo, mesmo grande
- Um grande tanque com peixes dos tópicos*
- O Chihuahua de Beverly Hills em DVD
- 5 mil frascos de perfume Chanel
- Mais um milhão de euros em dinheiro
- Algum ouro
- Assinatura vitalícia da revista *Rostos*
- Um jato privado (novo, e não em segunda mão, por favor)
- Um cão que fale
- Coisas aleatórias que sejam caras
- 100 vestidos de alta-costura (não me interessa

quais, desde que sejam caros. Aqueles que eu não gostar

a minha mãe pode vender no mercado).

---

* Acho que ela quis dizer peixes dos trópicose e não peixes que estão a par das notícias e dos últimos acontecimentos.

- **Meio litro de leite meio-gordo**
- **A Bélgica**

– Claro que te dou estas coisas, meu anjinho vindo do céu – murmurou o Sr. Batata.

– Obrigado, Ken – disse Safira, com a boca cheia de batatas fritas.

– Chamo-me Len – corrigiu o pai de Joe.

– Ah, sim, desculpa! LOL! Len! Que parva! – disse ela.

– Não podes estar a falar a sério! – disse Joe. – Tu não vais mesmo comprar-lhe estas coisas todas, pois não?

O Sr. Batata olhou para Joe, zangado.

– Porque não, filho? – perguntou ele, tentando não perder a paciência.

– Sim, porque não, seu nojentinho? – disse Safira, definitivamente perdendo a *sua* paciência.

Joe hesitou por momentos.

– É óbvio que só estás com o meu pai por dinheiro.

– Não fales assim com a tua mãe! – gritou o Sr. Batata.

Os olhos de Joe quase saltaram para fora da cara.

– Ela não é a minha *mãe*, ela é a estúpida da tua namorada e só tem mais sete anos do que eu!

– Como te atreves?! – disse o Sr. Batata, espumando.

– Pede desculpa.

Joe manteve-se em silêncio, desafiando o pai.

– Eu disse "pede desculpa"! – gritou o Sr. Batata.

– Não! – gritou Joe.

– Vai para os teus quartos!

Joe empurrou a cadeira, fazendo o máximo de barulho possível e irrompeu escadas acima, batendo com os pés, enquanto os criados fingiam que não viam.

Sentou-se na beira da cama e cruzou os braços. Já tinha passado muito tempo desde que alguém lhe dera um abraço, por isso, abraçou-se a si mesmo. Apertou a *rechonchudez* que soluçava. Começava a desejar que o pai nunca tivesse inventado o RabinhoFresco e que ainda vivesse no apartamento do bairro social com a mãe. Depois de alguns momentos, ouviu-se bater à porta. Joe manteve-se num silêncio desafiador.

– É o teu pai.

– Vai-te embora! – gritou Joe.

O Sr. Batata abriu a porta e sentou-se ao lado do filho na cama. Quase deslizou da colcha até ao chão. Os lençóis de seda podem ser bonitos, mas não são muito práticos.

O Sr. Batata rabissaltou um pouco para ficar mais perto do filho.

— Não gosto de ver o meu pequeno Batata assim. Sei que não gostas da Safira, mas ela faz-me feliz. Consegues perceber isso?

— Nem por isso — disse Joe.

– E sei também que tiveste um dia chato na escola. Com aquela professora, a Bruxa, e aquele miúdo ingrato, o Bob. Desculpa. Sei o quanto querias um amigo, e sei que não ajudei muito. Vou falar discretamente com o diretor da tua escola. Tentar resolver as coisas por ti, se conseguir.

– Obrigado, pai – disse Joe, choramingando. – Desculpa ter estado a chorar.

Hesitou por momentos, antes de acrescentar:

– Eu gosto muito de ti, pai.

– Idem, filho, idem – replicou o Sr. Batata.

13

Rapariga nova

As férias a meio do período passaram rápido e quando Joe voltou à escola, naquela segunda-feira de manhã, apercebeu-se de que já não era o centro das atenções. Havia uma rapariga nova na escola. Era tãããããoooooooo bonita que toda a gente falava dela. Quando Joe entrou na sala de aula, lá estava ela, como um enorme e inesperado presente.

– Então, qual é a primeira aula de hoje? – perguntou a rapariga, enquanto atravessavam o recreio.

– Desculpa…? – balbuciou Joe.

– Perguntei-te qual é a primeira aula de hoje – repetiu a rapariga nova.

– Eu sei, é só que… Estás mesmo a falar comigo? – Joe não conseguia acreditar.

– Sim, estou a falar contigo – riu-se ela. – Sou a Lauren.

– Eu sei. – Joe não tinha a certeza se o facto de se ter lembrado do nome dela o fazia parecer cortês ou um obcecado.

– Como te chamas? – perguntou Lauren.

Joe sorriu. Finalmente chegara alguém que não sabia nada sobre ele.

– Chamo-me Joe – respondeu.

– Joe quê? – perguntou Lauren.

Joe não queria que ela soubesse que ele era o milionário RabinhoFresco.

– Hmm… Joe Batate.

– Joe Batate? – perguntou ela, algo surpreendida.

– Sim… – balbuciou Joe. A beleza dela assoberbara-o de tal maneira que, naquele momento, nem conseguia encontrar uma alternativa melhor para Batata.

– Batate não é um nome comum – disse Lauren.

– Pois não. De facto, soletra-se com "e" no fim. Joe Batate. Senão era assim… tipo puré! E era ridículo… Haha!

Lauren também tentou rir, mas fitava Joe com um olhar estranho. *Oh, não,* pensou Joe. *Acabo de conhecer esta rapariga e ela já acha que sou pirado.* Tentou rapidamente mudar de assunto.

– A seguir, temos Matemática com o professor Crise – informou ele.

– Está bem.

– E depois temos História com a professora Seca.

– Odeio História, é uma chatice.

– E vais odiar ainda mais com a professora Seca. Suponho que até é uma boa professora, mas todos nós a odiamos. Chamamos-lhe "A Bruxa".

– Que engraçado! – disse Lauren, rindo-se.

Joe sentiu-se o maior do mundo.

Bob aproximou-se.

– Hmm... Olá, Joe.

– Ah, olá, Bob – respondeu Joe.

Os dois antigos amigos não se tinham visto durante as férias. Joe passara os dias sozinho a dar voltas e voltas na pista de casa, com um novo carro de Fórmula 1 que o pai lhe comprara. E Bob tinha passado a maior parte das férias dentro de um contentor. Onde quer que Bob estivesse, os Grunhos conseguiam encontrá-lo, pegar-lhe pelos tornozelos e enfiá-lo no contentor mais próximo. Bem, mas era *isso* o que Bob dissera que queria.

Joe tivera saudades de Bob, mas esta não seria a melhor altura, porque agora ele estava a falar com a rapariga mais bonita da escola, talvez mesmo com a rapariga mais bonita de toda a cidade!

– Sei que já não nos vemos há uns tempos. Mas... bem... pensei no que conversámos quando estavas a fazer o trabalho comunitário... – balbuciou Bob.

– Sim?

Bob ficou um pouco surpreendido com o tom impaciente de Joe, mas continuou.

– Bom, tenho pena que nos tivéssemos zangado, mas gostava que fossemos amigos outra vez. Podias puxar a tua carteira para trás e eu...

– Importas-te que fale contigo mais tarde, Bob? – perguntou Joe. – Estou bastante ocupado agora.

– Mas... – começou Bob, com uma expressão magoada.

Joe ignorou-o.

– Vemo-nos por aí – disse ele.

Bob foi-se embora.

– Quem era aquele? Um amigo teu? – perguntou Lauren.

– Não, não, não. Ele não é meu amigo – respondeu Joe.

– O nome dele é Bob, mas é tão gordo que todos lhe chamam "Banhas"!

Lauren riu-se outra vez. Joe sentiu-se um pouco mal, mas estava tão contente por conseguir fazer rir aquela rapariga bonita que empurrou esse sentimento bem para o fundo de si.

Durante a aula de Matemática, Lauren olhara várias vezes para Joe, desconcentrando-o dos exercícios de álgebra. Na aula de História também olhara muitas vezes na direção dele. Enquanto a professora Seca discursava incansavelmente sobre a Revolução Francesa, Joe começou a sonhar com como seria dar um beijo a Lauren. Ela era tão bonita que Joe queria beijá-la mais do que tudo no mundo. Contudo, tendo só 12 anos, Joe nunca tinha beijado uma rapariga, e não fazia a menor ideia do que teria de fazer para que isso acontecesse.

– E o nome do rei de França em 1789 era...? Batata?

– Sim, professora? – Joe olhou fixamente para a professora Seca, horrorizado. Não tinha ouvido nada.

– Eu fiz-te uma pergunta, rapaz. Não estavas atento, pois não? Queres passar no exame?

– Sim, professora. Eu estava a ouvir... – balbuciou Joe.

– Então, qual é a resposta, rapaz? – exigiu saber a professora Seca. – Quem era o rei de França em 1789?

Joe não fazia a mínima ideia. Ele tinha quase a certeza de que não era o rei Bernardo II, nem o rei Francisco IV, nem o rei António, o Grande, porque os reis normalmente não tinham nomes desse género.

– Estou à espera – decretou a professora Seca.

A campainha tocou.

Estou salvo!, pensou Joe.

– A campainha é para mim, não é para vocês! – avisou a professora Seca.

Era óbvio que ela ia dizer aquilo. Aquela mulher *vivia* para dizer aquilo. Provavelmente, aquilo seria até escrito na sua lápide. A professora Seca tinha-se aproximado de Joe, o que fazia com que estivesse de costas voltadas para Lauren. De repente, a rapariga começou a acenar para Joe, tentando chamar a atenção dele. O rapaz ficou confuso por momentos, mas depois percebeu que ela estava a tentar ajudar, dando-lhe a resposta por gestos. Primeiro, tentou imitar alguém a atarraxar uma lâmpada.

– Rei Lâmpada…? – tentou Joe.

A turma desatou a rir. Lauren abanou a cabeça. Joe tentou outra vez.

– Rei Lamparina.

Voltaram a rir.

– Rei Iluminado?

Ainda riram com mais vontade desta vez.

– Rei Luz...? Ah, rei Luís, o...

– Sim, rapaz? – A professora Seca continuava o interroga-
tório.

Atrás dela, Lauren fazia números por gestos.

– Rei Luís V, X, XV, XVI! Rei Luís XVI! – declarou Joe.

Lauren gesticulou umas pequenas palmas.

– É isso mesmo, Batata – disse a professora Seca, descon-
fiada, antes de voltar para o quadro e escrever. – Rei Luís XVI.

De volta ao recreio, sob o sol primaveril, Joe voltou-se
para Lauren e disse:

– Salvaste-me mesmo a pele lá dentro.

– Sem problema. Eu gosto de ti – disse ela, sorrindo.

– A sério...? – perguntou Joe.

– Sim!

– Bem, então, queria saber se... – Joe atrapalhou-se com
as palavras. – Quero dizer, se...

– Então, o quê?

– Se tu, bem, provavelmente não queres, na verdade, de
certeza que não queres, quero dizer, porque quererias? Tu és
tão bonita e eu sou só um monte de banha, mas... – Agora as

palavras disparavam da sua boca em todas as direções, e Joe começava a ficar profundamente corado de vergonha. – Bem, se tu querias...

Lauren tomou as rédeas da conversa.

– Se eu gostava de ir dar uma volta pelo parque a seguir à escola e talvez depois comer um gelado? Sim, gostava muito.

– A *sério*?

Joe estava incrédulo.

– Sim, a sério.

– Comigo?

– Sim, contigo, Joe Batate.

Joe sentia-se 100 vezes mais feliz do que alguma vez se tinha sentido. Nem importava que Lauren achasse que o seu último nome fosse Batate.

14

A forma de um beijo

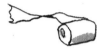

– Ei!

Estava tudo a correr tão bem. Joe e Lauren tinham estado sentados num banco do parque a comer os gelados da loja de Raj. O dono do estabelecimento percebeu que Joe estava a tentar impressionar a rapariga, por isso tratou-o como um rei, dando-lhe um desconto de um cêntimo nos gelados e deixando Lauren ler de graça uma revista cor-de-rosa da sua escolha.

Tinham finalmente conseguido sair da loja de Raj e encontraram um sítio calmo no parque, onde ficaram a falar e a falar, enquanto o sumo vermelho dos gelados escorria pelos dedos. Falaram de tudo, exceto da família de Joe. Ele não queria mentir a Lauren. Já gostava demasiado dela para lhe mentir. Por isso, quando ela lhe perguntou o que os seus pais faziam, ele disse apenas que o pai trabalhava em "gestão de resíduos humanos" e, sem surpresa, Lauren não continuou com as perguntas. Joe queria a todo o custo esconder quão rico era. Depois de ter visto como Safira usava o pai de uma forma tão desavergonhada, sabia bem como o dinheiro podia estragar as coisas.

Tudo estava perfeito... até o som daquele "Ei!" estragar tudo.

Os gémeos Grunhos tinham andado a fazer macacadas pelos baloiços, tentando chamar a atenção e esperando desesperadamente que alguém ralhasse com eles. Infelizmente, a polícia, o responsável pelo jardim e o pároco local estavam ocupados. Por isso, quando um dos Grunhos viu Joe, saltitaram ambos na direção dele com grandes sorrisos, na esperança, sem dúvida, de aliviar o tédio, tornando miserável a vida de alguém, nem que fosse por alguns momentos.

– Ei! Dá-nos dinheiro ou pomos-te no contentor do lixo!

– Com quem é que eles estão a falar? – sussurrou Lauren.

– Comigo – disse Joe, relutantemente.

– Dinheiro! – gritou um dos Grunhos. – Agora!

Joe pôs a mão ao bolso. Talvez se desse uma nota de 20 euros a cada um o deixassem em paz, pelo menos por hoje.

– O que estás a fazer, Joe? – perguntou Lauren.

– Só pensei que... – balbuciou ele.

– Que tens tu que ver com isso, sua cusca? – disse o Grunho Número Um.

Joe olhou para a relva, mas Lauren entregou-lhe o que restava do seu gelado e levantou-se do banco. Os Grunhos deram uns passinhos ansiosos. Não esperavam que uma rapariga de 13 anos se levantasse, literalmente, e lhes fizesse frente.

– Senta-te! – disse o Grunho Número Dois, ao mesmo tempo que ele, ou ela, punha a mão no ombro de Lauren para a forçar a sentar-se. Contudo, Lauren agarrou na mão dele (ou dela), dobrou-a para trás das costas dele (ou dela) e empurrou-o (ou empurrou-a) para o chão. O outro Grunho preparava-se para se atirar para cima de Lauren, mas ela saltou pelo ar e deu-lhe um pontapé de kung-fu que o fez (ou a fez) cair ao chão. Foi então que o outro (ou outra) saltou e tentou agarrá-la, mas Lauren aplicou-lhe um golpe de *karaté* no ombro dele (ou dela) e ele (ou ela) desatou a correr gritando de dor.

É mesmo estranho escrever isto quando não se sabe o sexo da pessoa.

Joe achou que já era altura de fazer alguma coisa, por isso, levantou-se e, com as pernas a tremer de medo, aproximou-se do outro Grunho. Foi só nessa altura que reparou que ainda estava a segurar nos dois gelados, que estavam a derreter. O gémeo que sobrava ficou especado por instantes, mas quando viu Lauren atrás de Joe, desatou a correr, ganindo como um cão.

– Onde aprendeste a lutar assim? – perguntou Joe, estupefacto.

– Oh, tive aulas de artes marciais, aqui e ali – respondeu Lauren, sem soar muito convincente.

Joe achou que tinha encontrado a rapariga dos seus sonhos. Além de poder ser namorada, Lauren também podia ser a guarda-costas!

Lauren e Joe caminharam pelo parque. O rapaz tinha-o atravessado muitas vezes, mas hoje parecia mais bonito do que nunca. À medida que o sol dançava por entre as folhas das árvores nesta tarde de outono, por momentos, tudo na vida de Joe parecia perfeito.

– Acho melhor ir para casa – disse Lauren, quando chegaram ao portão do parque.

Joe tentou esconder a desilusão. Podia ter ficado para sempre a passear com Lauren pelo parque.

– Posso oferecer-te o almoço amanhã? – perguntou ele.

Lauren sorriu.

– Não tens de me oferecer nada. Eu gostava muito de almoçar contigo, mas sou eu a pagar, está bem?

– Bem, se é assim que queres – disse Joe.

Uau. Esta rapariga era demasiado boa para ser verdade.

– Como é a cantina da escola? – perguntou Lauren.

Como poderia Joe encontrar as palavras certas?

– Hmm... Bem, é... é ótima, se estiveres a fazer dieta.

– Eu adoro comida saudável! – exclamou Lauren.

Não era exatamente isso que Joe estava a querer dizer, mas era o melhor sítio na escola para estarem juntos, pois de certeza que estaria sossegado.

– Então, até amanhã – disse Joe.

Fechou os olhos, apertou os lábios, como se fosse dar um beijo, e esperou.

– Até amanhã, Joe – disse Lauren, antes de desaparecer, a saltitar, pelo caminho fora.

Joe abriu os olhos e sorriu. Nem conseguia acreditar! Esteve quase a beijar uma rapariga!

15

Corta e cose

A Sra. Bolor estava estranha hoje. Parecia a mesma, mas estava diferente. À medida que Joe e Lauren se aproximavam do balcão da cantina, Joe percebeu o que havia de diferente nela.

A pele descaída da cara estava repuxada.

O nariz estava mais pequeno.

Tinha feito um tratamento aos dentes.

Já não tinha rugas na testa.

As olheiras tinham desaparecido.

As rugas tinham evaporado.

O peito estava muito, muito maior.

Mas continuava a coxear.

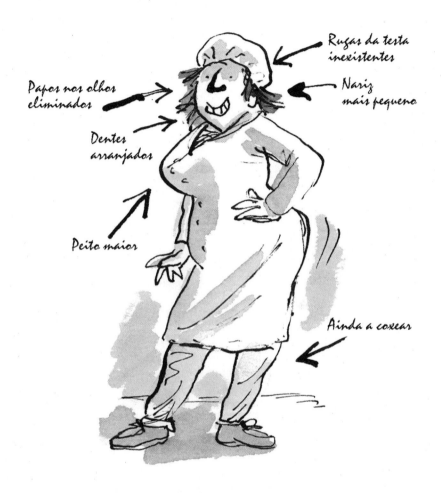

Rugas da testa
inexistentes

Papos nos olhos
eliminados

Nariz
mais pequeno

Dentes
arranjados

Peito maior

Ainda a coxear

– A Sra. Bolor está mesmo... diferente... – disse Joe, olhando fixamente para ela.

– Estou? – respondeu a velha funcionária da cantina, com uma falsa inocência. – Ora, o que vão querer hoje? Morcego assado com tudo incluído? *Soufflé* de sabão? Piza de queijo com poliestireno?

– É difícil escolher... – titubeou Lauren.

– Tu és nova, não és, miúda? – perguntou a Sra. Bolor.

– Sim, só entrei ontem nesta escola – respondeu Lauren, perscrutando os pratos para tentar perceber qual era o menos horrível.

– Ontem? Que estranho. Podia jurar que já te tinha visto antes – disse a funcionária, estudando as linhas perfeitas do rosto de Lauren. – Pareces-me muito familiar.

Joe intrometeu-se.

– Já fez a operação à anca, Sra. Bolor? – Joe começava a ficar cada vez mais desconfiado. – Aquela para a qual lhe dei o dinheiro há umas semanas atrás – sussurrou ele, de forma a Lauren não ouvir.

A Sra. Bolor começou a gaguejar nervosamente.

– Hmm... Bem, não, ainda não, querido... Olha, porque não comes uma grande fatia aqui do meu maravilhoso pudim de cuecas...?

– A Sra. Bolor gastou o dinheiro que lhe dei em cirurgias plásticas, não foi? – silvou Joe.

Uma gota de suor escorreu pela cara da funcionária, pingando na sopa de ranho de texugo.

– Desculpa, Joe, mas eu, bem, há algum tempo que queria melhorar umas coisitas... – suplicou a senhora.

Joe ficou tão furioso que sentiu que tinha de ir embora naquele preciso momento.

– Lauren, vamos embora – anunciou ele, irrompendo pela cantina fora, e Lauren seguiu-o.

A Sra. Bolor começou a coxear atrás deles.

– Se me pudesses emprestar mais 5 mil euros, Joe, prometo que desta vez trato da anca! – gritou ela, à medida que Joe se ia embora.

Quando Lauren finalmente se juntou novamente a Joe, ele estava sentado sozinho num canto escondido do recreio.

Lauren pôs ternamente a mão em cima da cabeça de Joe, de forma a reconfortá-lo.

– Que história era aquela de lhe emprestares 5 mil euros? – perguntou Lauren.

Joe olhou para Lauren. Agora não havia forma de não lhe dizer.

– O meu pai é o Len Batata – disse ele, tristemente. – É o milionário RabinhoFresco. O meu último nome não é Batate. Eu só disse isso para que tu não soubesses quem eu realmente sou. Na verdade, nós somos estupidamente ricos. E quando as pessoas descobrem… fica tudo estragado.

– Sabes que mais? Alguns dos outros miúdos já me tinham dito hoje de manhã – disse Lauren.

A tristeza de Joe dissipou-se por momentos. Lembrou-se de que no dia anterior Lauren tinha ido comer um gelado com ele, quando pensava que ele era apenas Joe. Talvez as coisas não corressem mal desta vez.

– Porque não disseste nada? – perguntou Joe.

– Porque isso não importa. Não quero saber dessas coisas. Eu gosto de ti – disse ela.

Joe estava tão contente que só lhe apetecia chorar. É estranho como, às vezes, se pode estar tão contente que a alegria dá a volta toda e transforma-se em tristeza.

– Eu também gosto muito de ti.

Joe aproximou-se de Lauren. Era o momento ideal para o beijo! Fechou os olhos e apertou os lábios.

– Aqui no recreio, não, Joe! – disse Lauren, afastando-o a rir.

Joe ficou envergonhado por ter tentado.

– Desculpa – disse ele, mudando rapidamente de assunto.

– Estava só a tentar fazer uma coisa simpática por aquela velha maluca e ela vai é arranjar o peito…

– Eu sei, é inacreditável.

– Não é pelo dinheiro, isso não me interessa…

– Não, é o facto de ela se ter aproveitado da tua generosidade – sugeriu Lauren.

Joe levantou os olhos e olhou para Lauren.

– Exatamente!

– Anda lá – disse Lauren. – Acho que precisas é de umas batatas fritas. Eu ofereço-te um pacote.

O café estava cheio de alunos. Era proibido sair da escola à hora do almoço, mas a comida na cantina era tão horrível que não havia outra alternativa. Os Grunhos estavam na frente da fila, mas fugiram assim que viram Lauren, deixando os folhados de salsicha a fumegar em cima do balcão.

Lauren e Joe ficaram do lado de fora, no passeio, a comer as batatas fritas. Joe não se conseguia lembrar da última vez que um prazer tão simples lhe soubera tão bem. Devia ter sido quando ele era mesmo, mesmo pequenino. Antes de os milhões do RabinhoFresco terem aparecido e mudado tudo. Joe devorou as batatas fritas e notou que Lauren quase não tocara nas dela. Joe ainda tinha fome, mas não tinha a certeza se a relação deles já tinha evoluído ao ponto de ele se servir da comida dela. Isso acontecia depois de alguns anos de casamento e eles ainda nem eram noivos.

– Já acabaste as tuas? – ofereceu Joe.

– Sim – respondeu Lauren. – Não quero comer muito. Na próxima semana, trabalho.

– Trabalhas? A fazer o quê?

De repente, Lauren pareceu confusa.

– O que é que eu disse?

– Acho que disseste que ias trabalhar.

– Sim, sim, sim. Eu *trabalho*. – Lauren fez uma pausa e respirou fundo. – Numa loja só...

Joe não ficara convencido.

– Mas porque tens de ser magra para trabalhar numa loja?

Lauren pareceu ficar desconfortável.

– É uma loja muito estreita – disse ela. Depois, olhou para o relógio. – Temos aula de duas horas de Matemática daqui a 10 minutos. É melhor irmos.

Joe franziu o sobrolho. Havia aqui qualquer coisa estranha...

16

Peter Pan

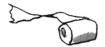

– A Bruxa morreu! – cantou um rapazinho borbulhento.

– Plim-plão, a bruxa má morreu!

Ainda nem tinha chegado a altura da chamada, mas as notícias já se espalhavam pela escola como se fosse uma nuvem de micróbios.

– O que aconteceu? – perguntou Joe, enquanto se sentava no seu lugar.

Do outro lado da sala, conseguia ver Bob, que olhava para ele com ar de sofrimento.

Provavelmente está com ciúmes da Lauren, pensou.

– Ainda não sabes? – perguntou outro rapazinho ainda mais borbulhento, atrás dele. – A Seca foi despedida!

– Porquê? – perguntou Joe.

– Que importa?! – disse outro miúdo, um pouco menos borbulhento. – Acabaram-se as aulas chatas de História!

Joe sorriu e depois franziu o sobrolho. Tal como todos os outros alunos, odiava a professora Seca e as suas aulas aborrecidas, mas não achava que ela tivesse feito algo para merecer ser despedida. Apesar de ela ser horrível, até era uma boa professora.

– A Seca foi despedida – balbuciou Joe para Lauren, quando ela entrou na sala.

– Sim, ouvi dizer – respondeu ela. – São ótimas notícias, não são?

– Hmm... Sim, suponho que sim – disse Joe.

– Pensava que era isso que querias. Disseste que não a suportavas.

– Sim, mas... – Joe hesitou por momentos. – Mas sabes, acho que tenho um pouco de pena dela.

Lauren fez uma expressão de desdém.

Entretanto, um grupo de raparigas com ar agressivo sentou-se no fundo da sala. A mais pequena do grupo foi empurrada na direção de Lauren, enquanto as outras olhavam, dando risinhos.

– Tens aí alguma sopinha instantânea? – perguntou ela, para diversão do grupo.

Lauren lançou um olhar a Joe.

– Não sei do que estás a falar – protestou Lauren.

– Não mintas – disse a rapariga. – Ficas diferente a vestir aquilo, mas tenho a certeza de que és tu.

– Não faço a mínima ideia do que estás a falar – repetiu Lauren, um pouco agitada.

Antes que Joe conseguisse dizer fosse o que fosse, um homem jovem vestindo roupas de homem velho entrou na sala e posicionou-se, com ar desconfortável, em frente ao quadro.

– Vamos acalmar, por favor – pediu ele, baixinho.

Ninguém na turma reparou, à exceção de Joe.

– Eu disse "vamos acalmar, por favor"...

A segunda frase do novo professor foi ligeiramente mais audível do que a primeira. Ainda assim, nenhum dos outros miúdos lhe prestou qualquer atenção. Na verdade, até começaram a fazer mais barulho do que estavam a fazer.

– Assim está melhor – disse o homem, tentando ver o lado positivo da situação. – Então, como já devem saber, a professora Seca não está cá hoje...

– Sim, ela foi para o olho da rua! – gritou uma rapariga gorda e espalhafatosa.

– Bem, isso não é... Quer dizer, é verdade, sim... – continuou o professor na sua monotonia tímida. – Eu vou substituir a professora Seca como vosso diretor de turma e também vos vou dar as aulas de História e de Inglês. O meu nome é professor Pan. – Começou a escrever o nome no quadro, em letras muito direitinhas. – Mas podem chamar-me Peter.

De repente, fez-se silêncio, enquanto pequeninos e sedentos cérebros rodopiavam, pensando.

– Peter Pan! – proclamou um rapaz ruivo do fundo da sala.

Uma enorme onda de risos abateu-se sobre a turma. Joe tinha tentado dar uma hipótese ao pobre do homem, mas não conseguiu deixar de rir.

– Por favor, por favor, podem fazer silêncio? – suplicou o professor de nome infeliz.

Não serviu de nada. A turma inteira estava em alvoroço. O novo diretor de turma tinha cometido a maior asneira que qualquer professor pode cometer: ter um nome cómico. Isto é um assunto sério. Se tiveres um nome como os que aparecem na lista abaixo, é muito, muito importante não escolheres a profissão de professor, quando fores crescido:

João Ratão

Joana Fava-Rica

Diogo Cão

Maria Fidalgo

Carlos Grilo

Cristina Galinha

Rosário Rego

Luísa Roque Riso

Absalão Meio Tostão

Rita Barata

Rui Rato

Tomás Azelha

Rodrigo Sarapico

Xavier Chaves

Purificação Anjos

Nuno Mosca

Pedro Pedrinha

Constantino Constantino

Regina Bicho Bicho

Madalena Alhinho

Soutão Feio

Joaquim Carrapito

Manuel Pica

Valeroso Humilde

Ascensão dos Milagres

Maria dos Costumes

Duartina das Dores

Leonardo Pancadas

Agostinho Terrinca

Telma Janete

Joselino Agripino Grifo

Profetina Bexiga

Diamantino Faustino

Cláudia Direitinho

Júlio Verdadeiro

Filipa Tremoço

Albertina Fina

Etelvina Botão

Ana Pestana

Francisco Fininho

Clotilde Cara Suja

Ursília Mosca Disca

António Beleza Mau

Manuel Baixinho Graxinha

Domingos Vida Larga

Dino Mimo

Vitória Liberdade

A sério. Nem penses nisso. Os alunos vão tornar-te a vida num inferno.

Agora, de volta à história…

– Certo – disse o professor com o nome infeliz. – Vou fazer a chamada. Adams?

– Não se esqueça da Sininho! – gritou um rapaz magrinho e loiro. As gargalhadas voltaram a irromper.

– Bem, eu pedi silêncio – disse o professor Pan, num tom patético.

– Ou do Capitão Gancho! – gritou outro miúdo. Os risos eram agora ensurdecedores.

O professor Peter Pan deixou cair a cabeça nas mãos. Joe quase sentia pena dele. A vidinha cinzenta daquele homem iria ser uma completa miséria daquele dia em diante.

Oh não, pensou Joe. *Vamos todos reprovar nos exames.*

17

O som de alguém a bater na porta da casa de banho

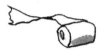

Há uma série de coisas que não queremos ouvir quando estamos sentados na sanita.

Um alarme de incêndio.

Um terramoto.

O rugir de um leão faminto vindo do cubículo ao lado.

Um grande grupo de pessoas a gritar-te: "Surpresa!"

O barulho da casa de banho a ser esmagada por uma bola de demolição.

O ruído de alguém a tirar uma fotografia.

O som de uma enguia elétrica a subir pelo cano da sanita.

Alguém a furar um buraco na parede.

Os "No Stress" a cantar. (Na verdade, ninguém ia querer isso em qualquer altura.)

O som de alguém a bater na porta.

Foi precisamente este último que Joe ouviu quando se sentou numa sanita da casa de banho dos rapazes.

TRUZ TRUZ TRUZ

Para que fique claro, não bateram na *tua* porta, leitor. Bateram na porta do cubículo da casa de banho do Joe.

– Quem é? – perguntou Joe, irritado.

– É o Bob – respondeu... sim, adivinhaste corretamente: o Bob.

– Vai-te embora, estou ocupado – disse Joe.

– Preciso de falar contigo.

Joe retirou a corrente da porta e abriu-a.

– O que queres? – perguntou Joe, zangado, dirigindo-se ao lavatório. Bob seguiu-o, enquanto trincava umas batatas fritas. Tinha passado apenas uma hora desde que ele tinha comido batatas, mas era óbvio que Bob ficava com fome muito facilmente.

– Não devias comer batatas fritas na casa de banho, Bob.

– Porque não?

– Porque... porque... sei lá, porque elas podem não gostar. – Joe deu um piparote na torneira para abrir a água e lavar as mãos. – Seja como for, o que queres?

Bob guardou o pacote de batatas fritas no bolso das calças e colocou-se atrás do ex-amigo. Olhou-o nos olhos através do espelho.

– É a Lauren.

– O que tem a Lauren?

Joe *sabia* que era isso. O Bob tinha ciúmes.

Bob desviou o olhar por uns segundos e respirou fundo.

– Acho que não deves confiar nela – disse.

Joe virou-se para trás, tremendo de raiva.

– O que é que *disseste*? – gritou Joe.

Bob deu um passo atrás, surpreendido.

– Eu só acho que ela é...

– ELA É O QUÊ?

– Ela é falsa.

– Falsa? – Joe sentia-se a ficar incandescente de tanta fúria.

– Muitos miúdos acham que ela é uma atriz. Dizem que ela entra num anúncio ou qualquer coisa assim. E este fim de semana eu vi-a com outro rapaz.

– O quê?

– Eu acho que ela está a fingir que gosta de ti, Joe.

Joe encostou o rosto à face de Bob. Detestava ficar assim tão zangado. Era assustador perder o controlo daquela maneira.

– ORA DIZ LÁ ISSO OUTRA VEZ...

Bob afastou-se.

– Olha, desculpa. Eu não quero discutir contigo, só te estou a dizer o que vi.

– Estás a mentir.

– Não estou!

– Tu tens é ciúmes por a Lauren gostar de mim. E és um gorducho sem amigos.

– Eu não tenho ciúmes, estou só preocupado contigo, Joe. Não quero que te magoes.

– Ai, sim? – disse Joe. – Parecias *mesmo* preocupado comigo quando me chamaste puto mimado.

– A sério, eu…

– Olha, deixa-me em paz, Bob. Nós já não somos amigos. Eu tive pena de ti, falei contigo e foi o que foi.

– O que disseste? Sentiste "pena de mim"? – Os olhos de Bob encheram-se de lágrimas.

– Não queria dizer…

– Porquê, porque sou gordo? Porque os outros miúdos gozam comigo? Porque o meu pai morreu? – Bob falava agora aos gritos.

– Não… eu… não queria com isso dizer que… – Joe não sabia o que queria dizer. Pôs a mão ao bolso, tirou um maço de notas de 50 euros e ofereceu-as a Bob.

– Olha, desculpa, toma lá. Oferece uma coisa bonita à tua mãe.

Bob bateu na mão de Joe, atirando com as notas para o chão húmido.

– Como te atreves?

– O que é que eu fiz agora? – protestou Joe. – O que se passa contigo, Bob? Só estou a tentar ajudar-te.

– Não quero a tua ajuda. Nunca mais quero falar contigo!

– Está bem! Tu é que sabes!

– E é de ti que as pessoas deviam ter pena. És patético.

Bob saiu disparado da casa de banho.

Joe suspirou, pôs-se de joelhos e começou a apanhar as notas molhadas.

– Que ridículo! – disse mais tarde Lauren, a rir-se. – Não sou uma atriz. Acho que nem um papel na peça da escola conseguia!

Joe também tentou rir, mas não conseguia. Estavam os dois sentados num banco do recreio, tremendo um pouco de frio. Joe teve dificuldade em proferir a frase seguinte. Ele queria e não queria saber a resposta. Respirou fundo.

– O Bob disse que te viu com outro rapaz. É verdade?

– O quê? – replicou Lauren.

– No fim de semana. Ele disse que te viu na rua com outra pessoa.

Joe olhou-a diretamente nos olhos, tentado ler a expressão dela. Por um momento, Lauren pareceu desaparecer para trás do seu próprio olhar.

– Ele é um mentiroso – disse ela, após uns instantes.

– Bem me parecia – disse Joe, aliviado.

– É um grande mentiroso – continuou Lauren. – Nem acredito que já foste amigo dele.

– Bem, foi por pouco tempo – disse Joe, contorcendo-se, pouco à vontade. – Já não gosto dele.

– Eu odeio-o! Mentiroso de um raio! Promete-me que nunca mais voltas a falar com ele – disse Lauren, persistentemente.

– Bem...

– Promete-me, Joe.

– Eu prometo.

Um vento terrível percorreu o recreio.

18

Vortex 3000

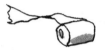

Lauren achou que o abaixo-assinado para fazer regressar a professora Seca não ia ter êxito.

E tinha razão.

Ao final do dia, Joe tinha unicamente três assinaturas: a dele, a de Lauren e a da Sra. Bolor. A funcionária da cantina só tinha assinado porque Joe tinha concordado provar uma das suas tarteletes de caganita de hámster. Ainda sabiam pior do que o nome sugeria. Apesar de não ter muito mais do que uma folha em branco, Joe achou que valia a pena mostrar o abaixo--assinado ao diretor da escola. Não gostava da professora Seca nem um bocadinho, mas também não percebia porque é que ela tinha sido despedida. Apesar de tudo, ela era uma boa professora, certamente muito melhor do que o Peter Pan, ou fosse qual fosse o estúpido nome dele.

– Olá, crianças! – cumprimentou alegremente a secretária do diretor. A Sra. Bola era uma senhora muito gorda e alegre que usava óculos com hastes de cores garridas. Estava sempre sentada atrás da sua secretária no gabinete do diretor. Aliás, nunca a tinham visto de pé. Ela era tão gorda que não admirava que estivesse permanentemente encaixada na cadeira.

– Estamos aqui para ver o diretor, por favor – proclamou Joe.

– Temos um abaixo-assinado para lhe entregar – acrescentou Lauren, solidária, levantando o papel no ar.

– Um abaixo-assinado! Que giro! – disse a Sra. Bola, sorrindo radiosamente.

– Sim, é para voltar a contratar a professora Seca – disse Joe num tom másculo que, esperava ele, iria impressionar Lauren. Por momentos, contemplou a ideia de bater com o punho na mesa para dar ênfase, mas não quis deitar abaixo nenhuma das mascotes da sorte da abundante coleção da Sra. Bola.

– Ah, sim. A professora Seca, uma ótima professora. Realmente não percebi o que aconteceu, mas lamento dizer-vos que o professor Poeiras acabou de sair.

– Oh, não – exclamou Joe.

– Sim, acabou de sair. Ah, olhem, ali vai ele – disse, apontando um dos dedos cheios de anéis, gordos como salsichas, para o parque de estacionamento. Joe e Lauren espreitaram pela janela. O diretor arrastava-se a passo de caracol, apoiado no seu andarilho.

– Vá com calma, professor Poeiras, ainda dá um trambolhão! – gritou a Sra. Bola. Virou-se então para Joe e Lauren.

– Ele não me ouve. Na verdade, ele não ouve nada! Querem deixar comigo esse tal abaixo-assinado? – Inclinou a cabeça e estudou o papel por momentos. – Oh, meu Deus, parece que todas as assinaturas desapareceram.

– Nós estávamos à espera de mais – disse Joe, num tom fraco.

– Bem, se correrem, talvez ainda o consigam apanhar! – disse a Sra. Bola.

Joe e Lauren partilharam um sorriso e caminharam lentamente até ao parque de estacionamento. Para surpresa deles, o professor Poeiras tinha largado o andarilho e estava agora a começar a montar uma Harley Davidson novinha em folha. Era a mota mais recente, movida a jato: a Vortex 3000. Joe reconheceu-a, porque o pai tinha uma pequena coleção de 300 motas e estava sempre a mostrar ao filho folhetos das que ia comprar a seguir. A supermota, que custava 250 mil euros, era a mota mais cara alguma vez vendida. Era mais larga do que um carro, mais alta do que um camião e mais negra do que um buraco negro. Tinha um cromado muito diferente do brilho do andarilho do diretor.

– Senhor diretor! – gritou Joe.

Mas era tarde de mais.

O professor Poeiras já tinha posto o capacete, metido a primeira e o monstro, acelerando, rugiu, passando pelos humildes carros dos outros professores a centenas de quilómetros à hora. Ia tão depressa que o diretor estava preso só pelas mãos, com as suas pequeninas pernas a flutuarem no ar atrás dele.

— IIIIiiUUUUPPPPIIIIiiiiiii....! — gritou o diretor, à medida que ele e a sua máquina absurda desapareciam no horizonte, tornando-se apenas, em meros segundos, um pontinho lá ao longe.

– Passa-se alguma coisa muito estranha – disse Joe para Lauren. – A Bruxa é despedida e o diretor compra uma mota de 250 mil euros…

– Joe, estás a ser pateta! É só uma coincidência! – riu--se Lauren. – Olha, ainda estou convidada para jantar, hoje à noite? – acrescentou ela, mudando rapidamente de assunto.

– Sim, sim, sim – respondeu ansiosamente Joe. – O que achas de nos encontrarmos à porta da loja do Raj dentro de uma hora?

– Fixe. Até já.

Joe também sorriu e ficou a vê-la a ir-se embora.

Mas, na cabeça de Joe, o brilho dourado que envolvia a Lauren estava a começar a escurecer. Subitamente, sentiu que algo estava muito errado…

19

O rabo de um babuíno

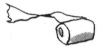

– Se calhar, o teu diretor está a passar por uma crise de meia-idade – sugeriu Raj.

Joe parara na loja de Raj a caminho de casa e estava a contar-lhe tudo sobre os eventos curiosos do dia.

– O professor Poeiras tem para aí 100 anos. De certeza que já passou mais de metade da vida! – disse Joe.

– O que queria dizer, ó chico-esperto – continuou Raj –, é que talvez ele estivesse só a tentar sentir-se jovem novamente.

– Mas é a motorizada mais cara do mundo. Custa um quarto de milhão de euros. Ele é professor, não é futebolista! Como teria arranjado dinheiro para a comprar?! – exclamou Joe.

– Não sei... Não sou um detetive como a Miss Marble ou o grande Shylock Holmes – disse Raj, antes de dar uma olhadela pela loja e começar a sussurrar. – Joe, preciso de te perguntar uma coisa, na mais estrita confidência.

Joe começou a também sussurrar.

– Diz lá.

– Isto é muito embaraçoso, Joe – sussurrou também Raj.

– Mas... tu costumas usar o papel higiénico especial do teu pai?

– Sim, claro, Raj. Toda a gente usa!

– Bem, eu tenho usado um novo, de há umas semanas para cá.

– O papel higiénico de mentol? – perguntou Joe.

Por esta altura já havia uma grande variedade de produtos RabinhoFresco, incluindo:

RABINHOFRESCO&QUENTE – aquece o teu rabiosque enquanto te limpas.

RABINHOFRESCO SENHORA – papel especialmente macio para os rabiosques de senhoras.

RABINHOFRESCO MENTOL – deixa o teu rabiosque com um fresco cheirinho a mentol.

– Sim, e… – Raj respirou fundo. – O meu rabo ficou todo… bem… roxo.

– Roxo! – disse Joe a rir-se, chocado.

– Isto é um assunto muito sério – admoestou Raj. De repente olhou para cima: – Um exemplar do *Jornal de Notícias* e um pacote de chocolates de caramelo são 85 cêntimos. Tenha cuidado com os caramelos e a dentadura, Sr. Minorca.

Esperou que o senhor reformado saísse da loja. Ouviu-se o *plim* da campainha da porta.

– Não o tinha visto. Devia estar escondido atrás dos pacotes de batatas fritas – disse Raj, um pouco assustado com o que o senhor pudesse ter ouvido.

– Estás a brincar, não estás, Raj? – perguntou Joe, com um sorriso de gozo.

– Estou a falar muito a sério, Joe – respondeu Raj, com ar tristonho.

– Então, mostra-me! – disse Joe.

– Não te posso mostrar o meu rabo, Joe! Conhecemo-nos há pouquíssimo tempo! – exclamou Raj. – Mas deixa-me fazer-te um pequeno gráfico.

– Um gráfico? – perguntou Joe.

– Sê paciente, Joe.

Raj pegou num pedaço de papel e em canetas e começou a desenhar o gráfico, enquanto Joe o observava.

– Uau, isso é mesmo roxo! – disse Joe, estudando o gráfico. – Dói muito?

– Está um bocadinho inflamado.

– Foste ao médico? – perguntou Joe.

– Sim, e ele disse que tinha visto centenas de pessoas nesta localidade com rabos coloridos.

– Oh, não – disse Joe.

– Talvez tenha de fazer um transplante de rabo!

Joe não conseguiu deixar de rir.

– Um transplante de rabo?!

– Sim! Isto não é para rir, Joe – ralhou Raj. Joe conseguia ver a mágoa nos olhos do lojista pelo facto de o seu rabiosque ser alvo de risota.

– Pois não, desculpa – disse Joe, entre risadas.

– Acho que vou deixar de usar o RabinhoFresco e voltar ao papel higiénico branco e brilhante que a minha mulher costumava comprar.

– Tenho a certeza de que não deve ser o papel higiénico do meu pai – disse Joe.

– Que outra coisa poderia ser?

– Olha, Raj, tenho de ir – disse Joe. – Convidei a minha namorada para ir lá a casa logo.

– Uhhh, já é namorada? Aquela rapariga bonita com quem vieste quando te vendi os gelados? – perguntou alegremente o lojista.

– Sim, é essa – disse Joe, timidamente. – Bem, não sei se ela é mesmo minha namorada, mas temos passado muito tempo juntos...

– Bem, tenham uma ótima noite!

– Obrigado.

Ao chegar à porta, Joe virou-se de novo para o lojista. Não conseguia resistir.

– Ah, a propósito, Raj, boa sorte com o transplante de rabo...

– Obrigado, amigo.

– Espero que encontrem um que seja suficientemente grande! – riu-se Joe.

– Fora da minha loja! Fora! Fora! – disse Raj.

Plim.

– Rapaz atrevido – murmurou o lojista, sorrindo, enquanto arrumava os ovos Kinder.

20

Uma bola de praia coberta de cabelo

As Torres RabinhoFresco vibravam com a música. Havia luzes coloridas a rodopiarem em todas as divisões. Centenas de pessoas circulavam pela casa. Esta era uma daquelas festas sobre a qual alguém se iria queixar à polícia por causa do barulho.

Até era possível haver queixas vindas de pessoas da Suécia…

Joe não fazia ideia de que havia uma festa em sua casa naquela noite. O pai não tinha dito nada ao pequeno-almoço e Joe tinha convidado Lauren para jantar. Uma vez que era uma sexta-feira à noite, podiam ficar acordados até mais tarde. Ia ser perfeito. Talvez se beijassem, finalmente.

– Desculpa, não fazia ideia de que isto ia acontecer – disse Joe, enquanto se aproximavam dos enormes degraus em pedra na frente da casa.

– Fixe, adoro festas! – respondeu Lauren.

À medida que a noite caía, e pessoas estranhas cambaleavam para fora da casa segurando garrafas de champanhe, Joe pegou na mão de Lauren e levou-a pela enorme porta principal em carvalho.

– Uau, isto é que é uma casa – gritou Lauren por cima da música.

– O quê? – perguntou Joe.

Lauren pôs a mão sobre a orelha de Joe para se conseguir fazer ouvir.

– Eu disse, "uau, isto é que é uma casa."

Mas Joe continuava sem conseguir ouvir. Sentir a respiração quente de Lauren tão perto dele era tão emocionante que, por momentos, era como se estivesse surdo.

– OBRIGADO! – gritou Joe ao ouvido de Lauren. A pele dela tinha um cheiro doce, como mel.

Joe procurou o pai pela casa inteira. Era impossível

encontrá-lo. Todas as divisões estavam apinhadas de gente. Joe não reconhecia uma única pessoa. Quem seria esta gente toda? Emborcavam *cocktails* e devoravam entradas como se não houvesse amanhã. Por ser baixinho, Joe tinha muita dificuldade em ver por cima deles. O pai não estava na sala de bilhar. Não estava na sala de jantar. Não estava na sala de massagens. Não estava na biblioteca. Não estava na outra sala de jantar. Não estava no quarto. Não estava na casa dos répteis.

– Vamos ver na casa da piscina! – gritou Joe ao ouvido de Lauren.

– Tens uma piscina! Fixe! – gritou ela de volta.

Passaram por uma mulher debruçada a vomitar perto da sauna, enquanto um homem (possivelmente o namorado) lhe dava umas pancadinhas encorajadoras nas costas. Alguns dos convidados da festa tinham-se atirado à piscina ou tinham caído lá dentro e flutuavam agora na água. Joe gostava muito de nadar e sentia-se enjoado só de pensar que nenhuma destas pessoas deveria sair da água se precisasse de fazer xixi.

Foi então que viu o pai – usando apenas uns calções de banho e dançando ao ritmo de uma música completamente diferente da que estava a dar. Por detrás do pai, a cobrir a parede, havia um mural com uma estranha versão musculada dele mesmo, deitado e de tanga. O verdadeiro Sr. Batata dançava agora (muito mal, acrescente-se) em frente ao mural, parecendo uma bola de praia coberta de cabelo.

– O que é isto, pai? – gritou Joe, em parte por causa da música estar tão alta, e em parte por estar zangado por o pai não lhe ter dito nada sobre a festa.

– Quem são todas estas pessoas? São teus amigos?

– Ah, não, contratei-as. 500 euros cada pessoa, no Convidadosparafestas.com.

– Para que é a festa, pai?

– Bem, sei que irás ficar muito feliz por saber que eu e a Safira ficámos noivos! – gritou o Sr. Batata.

– O quê...?! – exclamou Joe, não conseguindo esconder o choque.

– São ótimas notícias, não são? – gritou o pai. A música continuava a bomb-bomb-bombar.

Joe não queria acreditar. Aquela bimba sem cérebro ia mesmo ser a sua nova mãe?

– Perguntei-lhe ontem e ela disse não, mas hoje voltei a perguntar-lhe e dei-lhe um grande anel de diamantes e ela disse sim.

– Parabéns, Sr. Batata – disse Lauren.

– Tu deves ser a amiga do meu filho, aquela da escola? – perguntou o Sr. Batata, atropelando um pouco as palavras.

– É isso mesmo, Sr. Batata – respondeu Lauren.

– Podes chamar-me Len, se quiseres – disse o Sr. Batata, sorrindo. – E gostava que conhecesses a Safira. SAFIRA! – gritou ele.

Safira apareceu, bamboleando, usando uns saltos altos amarelo choque e um biquíni ainda mais amarelo choque.

– Mostras o teu anel de noivado à amiga do Joe, amorzinho mais belo de todos os tempos? 20 milhões de notas, só pelo diamante.

Joe mirou o diamante no dedo da sua futura madrasta. Era do tamanho de uma pequena casa. O seu braço esquerdo estava mais descaído do que o direito, devido ao peso.

– Hmm… oh… É tão pesado que não consigo levantar a mão, mas se se dobrarem, conseguem vê-lo… – disse Safira.

Lauren aproximou-se para ver melhor.

– Não te conheço de algum lado? – perguntou Safira.

O Sr. Batata intrometeu-se.

– Não, não conheces, amor da minha vida.

– Conheço, sim! – disse Safira.

– Não, meu anjo dos céus!

– OMD! Já sei onde te vi!

– Eu disse para não falares, minha princesa coberta de chocolate! – disse o Sr. Batata.

– Tu fizeste aquele anúncio de massas instantâneas – exclamou Safira.

Joe virou-se para Lauren, que olhou para o chão.

– É bem giro, tu conheces, Joe – continuou Safira.

– Aquele do novo sabor agridoce. Aquele em que ela faz *karaté* para as pessoas não o roubarem!

– Tu *és mesmo* uma atriz! – balbuciou Joe.

A imagem do anúncio começava a desenhar-se na sua mente. O cabelo dela tinha agora uma cor diferente, e não estava a vestir um macacão justo amarelo, mas era a Lauren, de certeza.

– É melhor eu ir embora – disse Lauren.

– E também mentiste sobre teres um namorado? – exigiu saber Joe.

– Adeus, Joe – disse Lauren, antes de se esgueirar pelo meio dos convidados na casa da piscina, correndo de lá para fora.

– LAUREN! – gritou Joe.

– Deixa-a ir, filho – disse o Sr. Batata, triste.

Mas Joe correu atrás dela, e apanhou-a mesmo na altura em que ela chegava aos degraus de pedra. Agarrou no braço de Lauren com mais força do que queria e ela virou-se com dor.

– Aiii!

– Porque me mentiste? – gaguejou Joe.

– Esquece, Joe – disse-lhe ela. De repente, Lauren parecia uma pessoa diferente. A voz era agora mais chique e a cara menos simpática. Os olhos já não cintilavam e o brilho à sua volta era agora uma sombra.

– Não vais querer saber.

– Não vou querer saber o quê?

– Olha, se queres mesmo a verdade, o teu pai viu-me no anúncio de massas instantâneas e ligou ao meu agente. Ele disse que eras infeliz na escola e pagou-me para ser tua amiga. Estava tudo a correr bem até me teres tentado beijar.

Lauren saltou pelos degraus abaixo e correu pelo longo caminho até ao portão. Joe ficou a olhar para ela por alguns momentos. A dor no seu coração era tão grande que teve de se dobrar para que parasse. Deixou-se cair de joelhos. Um convidado da festa passou por cima dele.

Joe sentia-se tão triste que achava que nunca mais se iria conseguir levantar.

21

Um diploma em maquilhagem

– PAI! – gritou Joe.

Joe nunca se tinha sentido tão zangado, e esperava nunca mais voltar a sentir-se da mesma forma. Correu até à casa da piscina para confrontar o pai.

O Sr. Batata ajeitou nervosamente o capachinho à medida que o filho se aproximava.

Joe manteve-se especado em frente ao pai, a hiperventilar. Estava demasiado zangado para falar.

– Desculpa, filho, a sério. Pensava que era o que querias. Um amigo. Só queria que as coisas corressem melhor na escola. Também consegui que aquela professora que detestavas fosse despedida. Tudo o que tive de fazer foi comprar uma mota ao diretor.

– Então... tu fizeste com que uma senhora, já com alguma idade, fosse despedida... E depois... depois... pagaste a uma rapariga para gostar de mim...

– Pensava que era o que querias.

– O *quê?*

– Ouve, posso comprar-te outro amigo – disse o Sr. Batata.

– NÃO ENTENDES, POIS NÃO? – gritou Joe. – Há coisas que não se compram.

– Como o quê?

– Como a amizade. Como os sentimentos. Como o amor!

– Na verdade, essa última pode comprar-se, sim – ofereceu Safira, ainda sem conseguir levantar a mão.

– Odeio-te, pai. A sério – gritou Joe.

– Por favor, Joe – suplicou o Sr. Batata. – Olha, por favor, acalma-te. Que tal um belo cheque de cinco milhões de notas?

– Uhhh, sim, por favor – disse a Safira.

– Não quero mais nenhum do teu dinheiro estúpido – disse Joe, com desdém.

– Mas, filho… – balbuciou o Sr. Batata.

– A última coisa que quero é ficar como tu… Um homem de meia-idade com uma noiva adolescente em morte cerebral.

– Desculpa lá, eu tenho um diploma em maquilhagem – disse Safira, zangada.

– Nunca mais quero ver nenhum dos dois! – disse Joe, correndo para o quarto e empurrando a senhora que vomitava para dentro da piscina pelo caminho. Bateu a enorme porta com imensa força. Um dos azulejos do mural, a parte que tinha a tanga do Sr. Batata, caiu e espatifou-se no chão.

– JOE! JOE! ESPERA! – gritou o Sr. Batata.

Joe atravessou a horda de convidados e correu para o quarto, fechando firmemente a porta atrás de si. Não tinha fechadura, por isso Joe pegou numa cadeira e encaixou-a por baixo da maçaneta para que esta não abrisse. A batida da música era tão alta que atravessava a carpete. Joe pegou num saco e começou a enchê-lo de roupa. Não sabia para onde ia, por isso não tinha a certeza do que precisava. Tudo o que sabia era que não queria ficar naquela casa ridícula nem mais um minuto. Pegou em alguns dos seus livros favoritos (*O rapaz de vestido* e *O Sr. Pivete* – achava ambos hilariantes, embora enternecedores).

Foi então que olhou para a prateleira com todos os seus brinquedos e aparelhos eletrónicos caríssimos. O seu olhar fixou o pequeno foguete feito em rolo de papel higiénico que o pai lhe dera, quando ainda trabalhava na fábrica. Lembrava-se que tinha sido um presente pelo seu oitavo aniversário. Os pais ainda estavam juntos e Joe achava que aquela tinha sido a última vez que se sentira verdadeiramente feliz.

No momento em que a sua mão ia pegar no foguete, ouviu-se alguém a bater com força na porta.

– Filho… filho, deixa-me entrar…

Joe não disse uma única palavra. Não havia mais nada que quisesse dizer àquele homem. A pessoa que tinha como pai desaparecera, e há muitos anos.

– Joe, por favor – implorou o Sr. Batata.

Por momentos, fez-se silêncio.

PPPPPPPPPPPPPPPUUUUUUUUUU UUUUUUUMMMMMMMMMMMMM MMM.

O pai de Joe estava a tentar forçar a porta.

– Abre esta porta!

PPPPPPPPPPPPPPPPPPPPPU UUUUUUUUUUUUUUUUUUUU UUUUUUUUUMMMMMMMMM MMMMMMMMMMM.

– Eu dei-te tudo!

O pai estava agora a empurrar a porta com todo o seu peso, mas as pernas da cadeira enterravam-se heroicamente na carpete. O pai fez uma última tentativa.

PPPPPPPPPPPPPPPPPPPP PPPPPPPPPPPPPPPPPPPPP PPPPPPPPPPPUUUUUUUU UUUUUUUUUUUUUUUUU UUUUUUUUUUUUUUUUU UUUUUUMMMMMMMM MMMMMMMMMMMMMM MMMMMMMMMMMMM.

Joe ouviu então um baque mais pequeno, à medida que o pai desistia e se encostava à porta. Seguiu-se um chiar, enquanto o corpo do pai escorregava ao longo da porta, choros e gemidos. Depois, a luz debaixo da porta desapareceu. O pai devia ter-se deixado deslizar para o chão.

O Batata júnior sentia-se agora incrivelmente culpado. Sabia que a única coisa que precisava de fazer para o pai deixar de sofrer era abrir a porta. Por momentos, pôs a mão na cadeira. Mas pensou: *Se eu abrir esta porta agora, nada vai mudar.*

Respirou fundo, tirou a mão da cadeira, pegou no saco e caminhou até à janela. Abriu-a devagar, para que o pai não ouvisse, e trepou para o parapeito. Olhou uma última vez para o quarto, antes de saltar para a escuridão e para um novo capítulo da sua vida.

22

Um novo capítulo

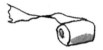

Joe correu o mais rápido que conseguia – o que, honestamente, não era assim tão rápido. Mas parecia-lhe rápido. Correu pelo longo caminho até ao portão. Esgueirou-se dos guardas. Saltou por cima do muro. Para que serviria o muro? Para manter as pessoas lá fora ou para o manter lá dentro? Joe nunca tinha pensado nisso antes. Mas agora não era altura para refletir. Tinha de correr. E não podia parar.

Joe não sabia para onde estava a correr. Tudo o que sabia era de onde estava a fugir. Não conseguia ficar naquela casa estúpida com aquele pai estúpido por mais um minuto que fosse. Correu estrada abaixo. A única coisa que conseguia ouvir era a sua própria respiração, cada vez mais ofegante. Sentia um leve sabor a sangue na boca. Agora, desejava ter-se esforçado mais na corrida de corta-mato da escola.

Já era tarde, passava da meia-noite. Os candeeiros de rua iluminavam inutilmente a cidadezinha vazia. Ao chegar ao centro da cidade, Joe abrandou até parar. Via-se apenas um único carro na estrada, meio escondido. Apercebendo-se de que estava sozinho, Joe sentiu um arrepio de medo. A realidade da grande fuga abatia-se sobre ele. Olhou para o seu reflexo numa janela escurecida de um KFC. Um rapaz gorducho de 12 anos sem qualquer sítio para ir retribuía-lhe o olhar. Um carro da polícia passou por Joe, devagar e silenciosamente. Estaria à sua procura? Joe escondeu-se atrás de um grande contentor de plástico. O cheiro a gordura, a *ketchup* e a embalagens de cartão quentes era tão nauseabundo que quase se engasgou. Joe cobriu a boca para abafar o som. Não queria que os polícias o descobrissem.

O carro da polícia virou uma esquina e Joe arriscou-se a ir para a rua. Tal como um hámster fugido da jaula, Joe manteve-se junto aos cantos e esquinas. Poderia ir para casa do Bob? *Não*, pensou. Com a emoção de ter conhecido Lauren (ou lá como era o nome dela), Joe tinha desiludo o seu único amigo. A Sra. Bolor tinha sido muito simpática com ele, mas, no final de contas, também só queria dinheiro.

E o Raj? *Sim*, pensou Joe. Ele podia ir viver com o lojista do rabo roxo. Joe podia instalar-se atrás do frigorífico. Em segurança e escondido, podia ler revistas masculinas o dia inteiro e deliciar-se com doces um pouco fora do prazo. Não conseguia imaginar uma vida melhor.

A mente de Joe rodopiava a mil à hora. As suas pernas tentavam acompanhar essa velocidade. Atravessou a rua e virou à esquerda. A loja de Raj ficava só umas ruas mais abaixo.

Acima dele, sobre o céu negro, ouviu um zunido distante. O zunido soava agora cada vez mais alto.

Era um helicóptero. Um foco de luz dançava pelas ruas. Ouviu-se a voz do Sr. Batata por um altifalante.

– JOE BATATA, É O TEU PAI. ENTREGA-TE. REPITO: ENTREGA-TE.

Joe escondeu-se na entrada de uma *Body Shop*. Por pouco o foco não o iluminou. O cheiro a gel de banho de ananás e romã e a esfoliante de pés de maracujá fazia-lhe cócegas nas narinas.

Ouvindo o helicóptero passar por cima dele, Joe correu para o outro lado da rua e esgueirou-se, passando por uma pizaria, depois outra, acabando por encontrar refúgio numa loja de sandes. Quando passava por uma churrascaria, o helicóptero retrocedeu lá no alto, por cima dele. De repente, Joe Batata estava mesmo no centro do foco de luz.

– NÃO TE MEXAS. REPITO: NÃO TE MEXAS – ordenou a voz.

Joe olhou para a luz, o corpo a tremer com a força das pás do helicóptero.

– Vai-te lixar! – gritou ele. – Repito: vai-te lixar!

– VEM PARA CASA AGORA, JOE.

– Não.

– JOE, EU DISSE...

– Eu ouvi o que disseste e não vou para casa. Nunca mais vou para casa – gritou ele.

Espetado, debaixo daquela luz brilhante, Joe sentia-se como se estivesse num palco, numa peça da escola particularmente dramática. O helicóptero zunia por cima da sua cabeça e, por momentos, o altifalante crepitou através do silêncio.

Foi então que Joe começou a correr, passando por uma viela atrás do supermercado, atravessando um parque de estacionamento e contornando uma farmácia. Em breve, o helicóptero não passava de um zumbido distante, o volume do seu som igualando o de pássaros já despertos.

Ao chegar à loja de Raj, Joe bateu levemente nas persianas de metal. Ninguém respondeu, por isso voltou a bater até as persianas tremerem com a força dos seus punhos. Continuavam sem responder. Joe olhou para o relógio. Eram duas da manhã. Não era de admirar que Raj não estivesse na loja.

Parecia que Joe iria ser o primeiro milionário a dormir ao relento.

23

Semanário Barco do Canal

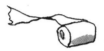

– O que estás a fazer aí dentro?

Joe não tinha a certeza se estava acordado ou se estaria simplesmente a sonhar que estava acordado. Era certo que não se conseguia mexer. O seu corpo estava rijo do frio e sentia--se todo dorido. Não conseguia ainda abrir os olhos, mas tinha a certeza de que não tinha despertado entre lençóis de seda, deitado na sua cama senhorial.

– Eu disse "o que estás aí a fazer"? – disse outra vez a voz.

Joe franziu o sobrolho, confuso. O seu mordomo não tinha pronúncia indiana. Joe esforçou-se para abrir os olhos colados de sono. Viu uma grande cara sorridente por cima de si. Era Raj.

– O que estás a fazer aqui a esta hora infernal, menino Batata? – perguntou ternamente o lojista.

A aurora começava a brilhar por entre a escuridão, e Joe absorveu o que o rodeava. Enfiara-se num contentor à porta da loja de Raj e adormecera. Como almofada usara uns tijolos, como colcha um bocado de lona, e como colchão uma velha porta de madeira poeirenta. Não era uma surpresa que todo o seu corpo doesse.

– Ah, olá, Raj – disse Joe, com voz rouca.

– Olá, Joe. Estava a abrir a minha loja e ouvi alguém a ressonar. E depois vi-te. Fiquei muito surpreendido, deixa-me que te diga.

– Eu não ressono! – protestou Joe.

– Lamento informar-te, mas ressonas. Agora, se fizeres o favor de sair do contentor e vieres à minha loja, acho que precisamos de falar – disse Raj num tom extremamente sério.

Oh, não, pensou Joe, *agora arranjei problemas com o Raj.*

Apesar de Raj ser adulto, tanto em idade como em tamanho, ele era completamente diferente de um pai ou de uma professora, e era mesmo difícil arranjar problemas com ele. Certa vez, uma das raparigas da escola de Joe tinha sido apanhada a roubar um saco de doces ao lojista e Raj proibira-a de entrar na loja por um total de cinco minutos.

O milionário empoeirado saiu desajeitadamente do contentor do lixo. Raj construiu-lhe um banco com uma pilha de revistas cor-de-rosa e pôs uma cópia do *Diário Económico* à volta dos ombros do rapaz, como um grande e aborrecido cobertor.

– Deves ter estado lá fora ao frio a noite toda, Joe. Precisas de tomar o pequeno-almoço. Talvez uma caneca quentinha de Fanta?

– Não, obrigado – disse Joe.

– Dois ovos Kinder escalfados?

Joe abanou a cabeça.

– Precisas de comer, rapaz. Um chocolate Mars torrado?

– Não, obrigado.

– E uma bela taça de Cheetos? Com leite morno?

– Não tenho mesmo fome, Raj – disse Joe.

– Bem, a minha mulher pôs-me a fazer uma dieta rigorosa, por isso agora só posso comer fruta ao pequeno-almoço – anunciou Raj, desembrulhando um chocolate em forma de laranja.

– E agora, vais dizer-me porque dormiste num contentor esta noite?

– Fugi de casa – disse Joe.

– Era o que eu pensava – disse Raj entre dentes, mastigando vários gomos da laranja de chocolate. – Olha, um caroço – disse, antes de cuspir algo para a palma da mão. – A questão é: porquê?

Joe pareceu ficar desconfortável. Sentia que a verdade o envergonhava tanto como o seu pai o envergonhara.

— Bem, sabes, aquela rapariga que veio comigo no dia em que comprámos uns gelados?

— Sim, sim! Lembras-te de eu ter dito que já a tinha visto em qualquer lado? Pois ontem vi-a na televisão! Num anúncio de massas instantâneas! E conseguiste beijá-la? – perguntou Raj, excitado.

— Não. Ela estava só a fingir que gostava de mim. O meu pai pagou-lhe para ela ser minha amiga.

— Oh, não! – exclamou Raj. O sorriso esbateu-se-lhe do rosto. — Isso não está certo. Isso não está nada certo.

— Eu *odeio-o* – disse Joe, furioso.

— Por favor, não digas isso, Joe – pediu Raj, chocado.

— Mas odeio – repetiu Joe, virando-se para Raj com um olhar de raiva. – Odeio-o mesmo!

— Joe! Tens de parar imediatamente de falar dessa forma. Ele é teu pai!

— Odeio-o! Nunca mais o quero ver.

A medo, Raj estendeu a mão e colocou-a no ombro de Joe.

A raiva do rapaz imediatamente transformou-se em tristeza e, de cabeça caída, começou chorar no seu próprio colo. O corpo tremia-lhe involuntariamente e o rosto estava banhado em lágrimas.

– Eu percebo o que estás a sentir, Joe. A sério – concedeu Raj. – Sei que, pelo que disseste, gostavas mesmo daquela rapariga, mas suponho que o teu pai só estava... bem, só estava a tentar fazer-te feliz.

– É aquele dinheiro todo – disse Joe, num tom quase inaudível, por entre lágrimas. – Estragou tudo... Até perdi o meu único amigo por causa disso.

– Sim, há uns tempos que não te vejo com o Bob. O que aconteceu?

– Também me portei como um idiota. Disse-lhe umas coisas mesmo más.

– Oh, não!

– Chateámo-nos quando paguei a uns arruaceiros para que o deixassem em paz. Pensei que o estava a ajudar, mas ele ficou muito zangado comigo.

Raj acenou lentamente.

– Sabes, Joe... – disse ele, devagar. – Parece-me que o que fizeste ao Bob não foi muito diferente do que o que o teu pai te fez.

– Se calhar sou mesmo um miúdo mimado – disse Joe. – Tal como o Bob disse.

– Que disparate – disse Raj. – Fizeste uma coisa estúpida e tens de pedir desculpa. Mas se o Bob tiver juízo, vai desculpar-te. Consigo ver que o teu coração estava no sítio certo. A tua intenção era boa.

– Eu só queria que deixassem de gozar com ele! – disse Joe. – Pensei que se lhes desse dinheiro...

– Bem, isso não é forma de derrotar esses brutamontes, meu menino.

– Sim, agora já sei que não – admitiu Joe.

– Se lhes deres dinheiro, vão sempre voltar para pedir mais.

– Sim, sim, mas estava só a tentar ajudá-lo.

– Tens de perceber que o dinheiro não resolve tudo, Joe. Talvez o Bob, eventualmente, conseguisse enfrentá-los. O dinheiro não é a solução! Sabes que já fui um homem muito rico?

– A sério?! – disse Joe, ficando imediatamente envergonhado por ter soado tão surpreendido. Fungou e limpou a cara
molhada à manga do casaco.

– Ah, sim – respondeu Raj. – Fui dono de uma grande ca-
deia de quiosques.

– Uau! Quantas lojas tinhas, Raj?

– Duas. Levava para casa centenas de euros todas as semanas. Podia ter tudo o que quisesse. Seis *nuggets* de frango? Eu
comia nove! Esbanjei dinheiro num Ford Fiesta em segunda
mão novinho em folha. E nem me preocupava em devolver um
DVD ao clube de vídeo com um dia de atraso e em pagar uma
multa de dois euros e meio.

– Ah, sim… Bem, parecia uma vida mesmo excitante –
disse Joe, sem saber muito bem o que mais dizer. – O que aconteceu?

– Ter duas lojas significava que tinha de trabalhar largas
horas, caro Joe, e deixei de passar tempo com a única pessoa
que realmente amava: a minha mulher. Eu costumava dar-lhe
prendas sumptuosas. Caixas e caixas de chocolates After Eight,
um colar de mercearia a imitar ouro, vestidos de alta-costura

do supermercado. Pensei que era assim que a ia fazer feliz, mas tudo o que ela queria era estar comigo – concluiu Raj com um sorriso triste.

– É só isso que eu quero! – exclamou Joe. – Estar com o meu pai. Não quero saber do estúpido do dinheiro.

– Anda lá, tenho a certeza de que o teu pai gosta muito de ti e deve estar muito preocupado. Deixa-me levar-te a casa – sugeriu Raj.

Joe olhou para Raj e esboçou um sorriso.

– Está bem. Mas podemos passar em casa do Bob no caminho? Preciso mesmo de falar com ele.

– Sim, acho que tens razão. Bem, julgo que tenho a morada dele algures, a mãe dele encomenda o *Jornal Diário* – disse Raj, folheando o livro de moradas. – Ou será que é o *Correio da Tarde*? Ou será o *Semanário Barco de Canal*? Nunca me lembro. Ah, sim, aqui está. Apartamento 112. Na Herdade Winston.

– Isso fica a quilómetros de distância – disse Joe.

– Não te preocupes, Joe. Vamos no Rajmóvel!

24

O Rajmóvel

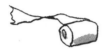

– *Isto* é o Rajmóvel? – perguntou Joe.

Joe e Raj estavam a olhar para um minúsculo triciclo de rapariga. Era cor-de-rosa e tinha um pequeno cesto branco na frente.

– Sim! – respondeu Raj, orgulhoso.

Quando Raj falou no Rajmóvel, a mente de Joe visualizara imagens do Batmóvel, do Batman, ou do Aston Martin, do James Bond, ou, pelo menos, da carrinha do Scooby Doo.

– É um pouco pequeno para ti, não achas? – perguntou ele.

– Comprei-o no eBay por três euros e meio, Joe. Parecia muito maior na fotografia. Acho que puseram um anão ao lado dele na imagem! Ainda assim, por este preço, foi uma pechincha.

Relutantemente, Joe sentou-se no cesto na frente do triciclo, enquanto Raj se sentou no assento.

– Segura-te bem, Joe! O Rajmóvel é uma fera! – disse Raj, antes de começar a pedalar, o triciclo arrancando lentamente, chiando de cada vez que ele virava o volante.

pLIM.

Isso não foi… Oh! Acho que já fiz a mesma piada demasiadas vezes.

– Sim? – disse uma senhora de ar simpático, mas triste, da porta do apartamento 112.

– A senhora é a mãe do Bob? – perguntou Joe.

– Sim – disse a mulher, estreitando os olhos. – Tu deves ser o Joe – disse num tom que não era particularmente amigável. – O Bob contou-me tudo sobre *ti*.

– Ah – disse Joe, contorcendo-se. – Eu gostava de falar com ele, se fosse possível.

– Não sei se ele vai querer falar contigo.

– É muito importante – garantiu Joe. – Eu sei que errei, mas quero corrigir o meu erro. Por favor.

A mãe de Bob suspirou e abriu a porta.

– Anda lá, então – disse ela.

Joe seguiu-a para dentro do pequeno apartamento. A casa inteira cabia, com certeza, dentro da sua casa de banho *en-suite*. O edifício já tinha visto melhores dias. O papel de parede estava a descolar e a carpete estava gasta em alguns sítios. A mãe de Bob levou Joe pelo corredor em direção ao quarto do filho e bateu à porta.

– Sim? – disse Bob

– O Joe está aqui para falar contigo – respondeu a mãe de Bob.

– Diz-lhe que pode ir dar uma curva.

A mãe de Bob olhou para Joe, envergonhada.

– Não sejas mal-educado, Bob. Abre a porta.

– Não quero falar com ele.

– Se calhar é melhor ir-me embora... – sussurrou Joe, começando a virar-se para partir.

A mãe de Bob abanou a cabeça.

– Bob, abre esta porta imediatamente. Estás a ouvir-me? Imediatamente!

Bob abriu a porta, devagar. Ainda estava em pijama e ficou ali, de pé, a olhar para Joe.

– O que é que tu queres? – exigiu saber.

– Falar contigo – respondeu Joe.

– Então anda lá, fala.

– Querem que vos faça o pequeno-almoço? – perguntou a mãe de Bob.

– Não, ele não vai ficar muito tempo – respondeu Bob.

A mãe de Bob fez um som de desaprovação e desapareceu para dentro da cozinha.

– Só vim cá para te pedir desculpa – balbuciou Joe.

– É um pouco tarde para isso, não achas? – perguntou Bob.

– Olha, eu lamento tanto, mas tanto, tudo o que disse.

A raiva de Bob resistia.

– Foste mesmo mau.

– Eu sei. Desculpa. Eu não conseguia perceber por que razão estavas tão chateado comigo. Eu só dei dinheiro aos Grunhos porque queria que as coisas fossem mais fáceis para ti…

– Eu sei, mas…

– Eu sei, eu sei – disse Joe, apressadamente. – Eu agora percebo que não o deveria ter feito. Estava só a explicar o que pensei na altura.

– Um verdadeiro amigo ter-me-ia defendido. Apoiado. Em vez de andar apenas a atirar dinheiro ao ar, para fazer o problema desaparecer.

– Eu sou um idiota, Bob. Agora sei isso. Um grandíssimo idiota.

Bob esboçou um pequeno sorriso, apesar de se esforçar para não o fazer.

– E tinhas razão acerca da Lauren, claro – continuou Joe.

– De ela ser falsa?

– Sim, descobri que o meu pai andava a pagar-lhe para ela ser minha amiga – disse Joe.

– Não sabia isso. Deves ter ficado mesmo triste.

O coração de Joe ainda doía, só de pensar na mágoa que tinha sentido na festa da noite passada.

– Fiquei. Gostava mesmo dela.

– Eu sei. Esqueceste-te quem eram os teus *verdadeiros* amigos.

Joe sentia-se tão culpado!

– Eu sei. Desculpa… Eu gosto muito de ti, Bob. Foste o único miúdo da escola que gostou de mim por quem sou, e não pelo meu dinheiro.

– Não nos vamos chatear outra vez. 'Tá, Joe?

Bob sorriu.

Joe também sorriu.

– Na verdade, tudo o que eu sempre quis foi um amigo.

– Ainda és meu amigo, Joe. E vais sê-lo sempre

– Olha – disse Joe –, tenho uma coisa para ti. Um presente. De pedido de desculpas.

– Joe! – disse Bob, frustrado. – Olha, se é um Rolex ou um monte de dinheiro, eu não quero, percebes?

Joe sorriu.

– Não, é só um Twix. Talvez o pudéssemos dividir.

Joe tirou o chocolate do bolso e Bob riu-se. Joe também se riu. Abriu a embalagem e deu uma das barras de chocolate a Bob. Mas, mesmo quando Joe estava a preparar-se para devorar o biscoito coberto de caramelo e chocolate...

– Joe? – chamou a mãe de Bob, da cozinha. – É melhor vires aqui rápido. O teu pai está na televisão...

25

Quebrado

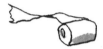

Quebrado. É a única palavra capaz de descrever o pai de Joe naquele momento. Estava de pijama à porta das Torres RabinhoFresco. O Sr. Batata falava para a câmara de televisão, com olhos vermelhos de choro.

– Perdi tudo – disse ele devagar, o seu rosto destroçado pela comoção. – Tudo. Mas tudo o que quero é o meu filho de volta. O meu rapaz lindo.

Então, os olhos do Sr. Batata encheram-se de lágrimas e teve de respirar fundo.

Joe olhou para Bob e para a mãe do amigo. Estavam no meio da cozinha a olhar para o ecrã.

– O que é que ele quer dizer com aquilo? Que perdeu tudo?

– Acabou de dar nas notícias – respondeu ela. – Está toda a gente a processar o teu pai. O RabinhoFresco pôs os rabos de toda a gente roxos.

– O *quê*? – respondeu Joe, virando-se de volta para a televisão.

– Se me estás a ver, filho... Vem para casa. Por favor. Suplico-te. Preciso de ti. Tenho tantas saudades tuas...

Joe estendeu a mão e tocou no ecrã. Conseguia sentir os cantos dos olhos a encherem-se de lágrimas. Um sibilar de estática dançava na ponta dos seus dedos.

– É melhor ires ter com ele – disse Bob.

– Sim – disse Joe, demasiado chocado para se mexer.

– Se tu e o teu pai precisarem de um sítio onde ficar, são bem-vindos nesta casa – disse a mãe de Bob.

– Sim, claro – acrescentou Bob.

– Muito obrigado. Vou dizer-lhe isso – disse Joe. – Bem, é melhor ir.

– Sim – disse Bob.

Bob abriu os braços e deu um abraço a Joe. O rapaz milionário não se lembrava da última vez que alguém lhe tinha dado um abraço. Era algo que o dinheiro não podia comprar. E Bob era ótimo a dar abraços. Era mesmo macio e reconfortante.

– Até logo, acho eu – disse Joe.

– Eu faço empadão para o jantar – disse a mãe de Bob, sorrindo.

– O meu pai adora empadão – respondeu Joe.

– Eu lembro-me – disse a mãe de Bob. – Eu e o teu pai andámos juntos na escola.

– A sério? – perguntou Joe.

– Sim, naquela altura tinha um bocadinho mais de cabelo e um bocadinho menos de dinheiro! – brincou ela.

Joe permitiu-se rir um pouco.

– Muito obrigado, a sério.

O elevador estava avariado, por isso Joe correu escadas abaixo, indo aos encontrões às paredes. Correu para o parque de estacionamento, onde Raj esperava por ele.

– Torres RabinhoFresco, Raj. E prego a fundo!

Raj pedalou furiosamente e o triciclo rolou pela estrada abaixo. Passaram um lojista rival e Joe espreitou os títulos dos jornais pendurados à porta. O seu pai vinha na primeira página de todos.

ESCÂNDALO RABINHOFRESCO, dizia o *Diário*.

MILIONÁRIO À BEIRA DA RUÍNA, exclamava *O Jornal*!

RABINHOFRESCO É PREJUDICIAL PARA OS TRA-SEIROS, noticiava o *Expressamente*.

TEM O TRASEIRO ROXO?, perguntava o *Semanário de Notícias*.

PESADELO ROXO RABINHOFRESCO!, gritava o *Luz*.

RAINHA TEM TRASEIRO DE BABUÍNO, anunciava *O Mafarrico*.

TERROR DOS TRASEIROS!, noticiava O *Fim-de-sema-nário*.

CANTORA DAS SPICE GIRLS MUDA DE PEN-TEADO!, anunciava o *Correio da Tarde*.

Bem, quase todas as capas de jornais.

– Tinhas razão, Raj – disse Joe, enquanto subiam a rua principal.

– Acerca de quê? – perguntou o lojista, limpando o suor do sobrolho.

— Sobre o RabinhoFresco. Toda a gente ficou com os rabos roxos!

— Eu disse-te! Viste o teu?

Tanta coisa tinha acontecido desde que Joe estivera na loja de Raj, na tarde anterior, que se tinha esquecido completamente.

— Não.

— E então?

— Encosta!

— O quê?

— Eu disse "encosta"!

Raj guinou o Rajmóvel até ao limite. Joe saiu de cima do triciclo, olhou por cima do ombro e puxou as calças um pouco para baixo.

— Então?

Joe olhou para baixo. Viu duas grandes nádegas inchadas e roxas.

— Está roxo!

Vamos voltar a ver o gráfico de Raj. Se lhe acrescentássemos o rabo de Joe, ficaria desta forma:

Roxidão.

- Beringela
- Tinta Rosa
- A música Purple Rain, de Prince
- Medalha Coração Púrpura
- Sangue de Klingon
- Rabiosque do Raj
- Rabiosque do Joe

Resumindo, o rabiosque o Joe estava **muito muito**

muito muito muito muito muito muito muito muito muito muito muito... *roxo*.

Joe puxou as calças para cima e saltou para o Rajmóvel.

– Vamos embora!

Ao chegarem às Torres RabinhoFresco, Joe viu centenas de jornalistas e de equipas de filmagem à porta da casa. Quando se aproximaram, todas as câmaras se viraram para eles e centenas de *flashes* dispararam. Os jornalistas estavam a bloquear a entrada e não tiveram outra hipótese a não ser parar o triciclo.

– Está em direto para a *TV Notícias*! Como se sente, agora que o seu pai está financeiramente arruinado?

Joe estava demasiado chocado para responder, mas, ainda assim, os homens de gabardine continuavam a bombardeá-lo com perguntas.

– *TV1.* Vai haver alguma indemnização para as milhões de pessoas por todo mundo cujos traseiros ficaram roxos?

– *TVP.* Acha que o seu pai vai ser criminalmente indiciado?

Raj pigarreou.

– Se não se importarem, gostaria de fazer uma pequena declaração.

Todas as câmaras se voltaram para o lojista. Por momentos, fez-se silêncio.

– Na loja do Raj, na Rua Bolsover, os Fritos estão com em promoção. Compre 10 pacotes, tenha um grátis. Oferta limitada.

Os jornalistas suspiraram em coro, e resmungaram, chateados.

Plim plim.

Raj tocou a campainha do seu triciclo e o mar de jornalistas abriu-se, deixando-os passar.

– Ora, muito obrigado! – cantarolou Raj, sorrindo. – E também tenho chocolates Lion fora do prazo a metade do preço! E só com um bocadinho de bolor!

26

Uma tempestade de notas

Enquanto Raj pedalava furiosamente pelo caminho até à casa, Joe ficou chocado por ver que já havia uma frota de camiões estacionada à porta. Um exército de homens grandes vestindo casacos de couro trazia para fora todas as pinturas, candelabros e tacos de golfe incrustados com diamantes do pai de Joe. Raj parou o triciclo, Joe saltou do cesto e correu pelas enormes escadas de pedra acima. Naquele momento, Safira apressava-se a sair de casa, calçando um par de saltos ridiculamente altos e carregando uma enorme mala e várias carteiras.

– Sai da frente! – silvou ela.

– Onde está o meu pai? – exigiu saber Joe.

RMIL-16

– Não sei nem quero saber! O idiota perdeu o dinheiro todo!

Ao correr pelas escadas abaixo, um dos saltos dos sapatos de Safira partiu-se e ela deu um tombo. A mala que levava caiu no chão de pedra e abriu-se. Uma tempestade de notas voou pelos ares. Safira começou a gritar e a chorar e, com o rímel a escorrer pela cara abaixo, levantou-se, tentando desesperadamente apanhá-las. Joe olhou para Safira, sentindo uma mistura de raiva e pena.

Depois, correu para dentro de casa. Estava agora completamente vazia. Joe passou pelos oficiais de justiça e correu pela escadaria em espiral. Passou por dois homens corpulentos que levavam quilómetros das suas pistas de carros. Por um milissegundo, Joe sentiu um pingo de pesar, mas continuou a correr e irrompeu pela porta do quarto do pai.

O quarto estava branco e despido, quase sereno na sua vastidão. O pai estava curvado no colchão vazio, de costas voltadas para a porta, usando apenas um colete e uns *boxers*, os braços e as pernas gordas e peludas contrastando com a cabeça careca. Até o capachinho lhe tinham levado.

– Pai! – gritou Joe.

– Joe! – disse o pai, virando-se. O seu rosto estava vermelho e inchado de chorar. – Oh, meu filho, meu querido filho!
Voltaste para casa.

– Desculpa ter fugido, pai.

– Estou tão triste por te ter magoado com tudo aquilo que
aconteceu com a Lauren. Só queria que fosses feliz.

– Eu sei, eu sei, deixa lá, pai.

Joe sentou-se ao lado do pai.

– Perdi tudo. Tudo. Até a Safira se foi embora.

– Não tenho a certeza se ela era a pessoa certa para ti, pai.

– Não?

– Não – respondeu Joe, tentando não exagerar o abanar de cabeça.

– Pois, talvez não fosse – disse o pai. – Agora não temos casa, não temos dinheiro, não temos jato privado. O que vamos fazer, filho?

Joe pôs a mão ao bolso e tirou um cheque.

– Pai?

– Sim, filho?

– No outro dia estava a remexer nos bolsos e encontrei isto.

O pai estudou o cheque. Era o que tinha passado ao filho no dia de anos dele. No valor de dois milhões de euros.

– Nunca cheguei a depositá-lo – disse Joe, excitadamente.

– Podes tê-lo de volta. Assim, podes comprar-nos uma casa para morarmos e ainda ter montes dinheiro de sobra.

O Sr. Batata olhou para o filho. Joe não tinha a certeza se o pai estava contente ou triste.

– Muito obrigado, filho. És um bom rapaz, és mesmo. Mas, com muita pena minha, este cheque não serve para nada.

– Não serve para nada? – perguntou Joe, chocado. – Porquê?

– Porque já não tenho dinheiro na minha conta bancária – explicou o pai. – Tenho tantos processos contra mim nos tribunais que os bancos congelaram-me as contas. Estou falido. Se o tivesses depositado quando to dei, ainda teríamos dois milhões de euros.

Joe ficou um pouco assustado por ter feito a coisa errada.

– Estás zangado comigo, pai?

O pai de Joe olhou para ele e sorriu.

– Não, estou contente por não o teres depositado. Nunca fomos realmente felizes com aquele dinheiro todo, pois não?

– Não – disse Joe. – Na verdade, andámos tristes como nunca. E eu também peço desculpa. Levaste-me o trabalho de casa à escola e eu gritei contigo por me teres envergonhado. O Bob tinha razão. Eu *tenho-me* comportado como um miúdo mimado às vezes.

O pai riu-se.

– Ah, só um bocadinho.

Joe rabissaltou até ficar mais perto do pai. Precisava de um abraço.

Naquele momento, dois corpulentos oficiais de justiça entraram no quarto.

– Precisamos de levar o colchão – anunciou um deles.

Joe e o pai não ofereceram resistência e levantaram-se para deixarem os homens levar a última peça do quarto.

O pai inclinou-se na direção de Joe e sussurrou-lhe ao ouvido:

– Se há alguma coisa que queiras ir buscar ao teu quarto, é melhor ires agora.

– Não preciso de nada, pai – respondeu Joe.

– Deve haver alguma coisa que queiras. Óculos de sol de marca, um relógio em ouro, o teu iPod…

Observaram os dois homens a levar o colchão do quarto do Sr. Batata. A divisão estava agora completamente vazia.

Joe pensou por um momento.

– Afinal, há uma coisa... – disse ele, desaparecendo do quarto.

O Sr. Batata foi até à janela. Impotente, ficou a olhar para os homens de casacos de couro que lhe levavam tudo o que possuía para dentro de camiões – talheres em prata, jarras de cristal, mobília antiga... tudo.

Momentos depois, Joe apareceu.

– Conseguiste trazer alguma coisa? – perguntou o pai ansiosamente.

– Só uma.

Joe abriu a mão e mostrou ao pai o triste foguetãozinho feito de rolos de papel higiénico.

– Mas... porquê? – perguntou o pai.

Nem acreditava que o filho tinha guardado aquela coisa velha, quanto mais que a tivesse escolhido como o único objeto que queria salvar da casa.

– É a melhor coisa que alguma vez me deste – disse Joe.

Os olhos do Sr. Batata encheram-se de lágrimas.

– Mas é só um rolo de papel higiénico com outro pedaço de rolo colado a ele – balbuciou.

– Eu sei – disse Joe. – Mas foi feito com amor. E significa mais para mim do que qualquer uma daquelas coisas caras que me compraste.

O pai de Joe começou a tremer, descontrolando-se com a emoção, e envolveu os seus braços gordos e peludos à volta do filho. Joe colocou os braços curtos, gordos e menos peludos à volta do pai e encostou a cabeça ao peito dele. Sentiu-se banhado em lágrimas.

– Adoro-te, pai.

– Idem… Quero dizer: eu também te adoro, filho.

– Pai? – disse Joe, a medo.

– Sim?

– Gostavas de comer empadão para o jantar?

– Mais do que qualquer outra coisa no mundo – disse o pai com um sorriso.

Pai e filho ficaram muito juntos, abraçados.

Finalmente, Joe tinha tudo o que alguma vez podia desejar.

Posfácio

Então, e o que aconteceu com todas as personagens da história?

O Sr. Batata gostou tanto do empadão da mãe de Bob que se casou com ela. Agora comem empadão ao jantar todas as noites.

Joe e Bob não ficaram apenas melhores amigos: quando os seus pais se casaram, também se tornaram meios-irmãos.

A Safira casou-se com um jogador de futebol da Liga Inglesa.

Raj e o Sr. Batata começaram a trabalhar juntos numa série de projetos que esperavam que os tornassem zilionários. O Kit Kat de cinco barras. O chocolate Mars médio (já existia o grande e o normal). Drageias de mentol de caril. Até agora, nenhum destes produtos fez com que ganhassem um único cêntimo.

Ninguém chegou a perceber qual dos Grunhos era o rapaz e qual era a rapariga. Nem os pais dos gémeos. Os Grunhos foram despachados para a América, para um campo de recrutas para jovens delinquentes.

O diretor da escola, o professor Poeiras, reformou-se aos 100 anos. Agora participa em corridas de motas a tempo inteiro.

A professora Seca, da disciplina de História, voltou a ter o emprego e pôs Joe a fazer serviço comunitário até ao fim da sua vida.

O professor de nome infeliz, Peter Pan, mudou de nome. Alterou para Susan Jenkins, o que não ajudou muito.

Lauren continuou a carreira de atriz, cujo

ponto alto foi entrar numa série dramática de televisão chamada *Vítimas*. Fez de pessoa morta.

A secretária do diretor da escola, a Sra. Bola, nunca chegou a sair da cadeira.

O rabiosque da Rainha continuou roxo. E mostrou-o a toda a gente no seu discurso anual de Natal, chamando-o *anus horribilis*.

E finalmente, a Sra. Bolor lançou um livro de receitas, direto para a lista dos mais vendidos, chamado *101 Receitas de Vómito de Morcego*. Editado pela HarperCollins.

O mundo de

David Walliams